# De schat in het heelal

Eerder verscheen van Lucy & Stephen Hawking
bij Pimento:

*De geheime sleutel naar het heelal*

# De schat in het heelal

## Lucy & Stephen Hawking

Met illustraties van Elly Hees

Vertaald door Aimée Warmerdam

Pimento

www.pimentokinderboeken.nl

Oorspronkelijke titel *George's Cosmic Treasure Hunt*
Tekst © 2009 Lucy Hawking
Oorspronkelijk uitgegeven bij Random House Children's Books, Londen
Nederlandse vertaling © 2009 Aimée Warmerdam en Pimento, Amsterdam
Illustraties © 2009 Elly Hees
Omslagontwerp Elly Hees

ISBN 978 90 499 2363 1
NUR 282

Pimento is een imprint van FMB uitgevers,
onderdeel van Foreign Media Group

Voor Rose

# De nieuwste wetenschappelijke theorieën!

In dit boek staan een paar indrukwekkende artikelen om de lezers inzicht te geven in de nieuwste wetenschappelijke theorieën. Deze artikelen zijn geschreven door de volgende vooraanstaande wetenschappers:

# Proloog

'T-minus zeven minuten en dertig seconden,' zei een robotachtige stem. 'Orbiter Access Arm ingetrokken.'

George slikte en schoof met zijn billen heen en weer in de gezagvoerdersstoel van de spaceshuttle. Eindelijk was het dan zover. Over een paar minuten – minuten die veel sneller voorbijgingen dan de eindeloze minuten van de laatste schooldag – zou hij de planeet aarde achter zich laten en het heelal in vliegen.

George wist dat er geen weg terug meer was nu de Orbiter Access Arm, de beweegbare arm waarlangs de bemanning de shuttle kon bereiken en die de brug vormde tussen het ruimtevaartschip en de buitenwereld, was weggehaald. Dit was een van de laatste fasen voor de lancering. Het betekende dat de toegangsluiken werden gesloten. En ze werden niet alleen gesloten: ze werden vergrendeld. Niemand aan de andere kant kon hem nu nog horen, zelfs als hij op de deur zou bonken en zou smeken of hij eruit mocht. De astronauten waren alleen met hun enorme ruimtevaartschip en over een paar minuten zou de lancering plaatsvinden. Ze konden niets anders doen dan wachten tot het aftellen zou beginnen en men bij zero was.

'T-minus zes minuten en vijftien seconden. Breng APU's in gereedheid voor de start.' De APU's – de Auxiliary

Power Units – waren de ondersteunende generatoren waarmee de shuttle tijdens het opstijgen en landen gestuurd kon worden. Ze werden aangedreven door drie brandstofcellen die al uren draaiden, maar pas door dit commando begon de spaceshuttle te zoemen alsof hij tot leven kwam en wist dat zijn hoogtepunt niet lang meer op zich liet wachten.

'T-minus vijf minuten,' zei de stem. 'Start de APU's.'

George voelde vlinders in zijn buik. Het liefst van de hele wereld wilde hij nog een keer door het heelal vliegen. En hier was hij dan, aan boord van een echt ruimtevaartschip met astronauten erin die op de lancering wachtten. Het was spannend en eng tegelijkertijd. Misschien zou hij iets verkeerd doen? Hij zat op de stoel van de gezagvoerder en dat betekende dat hij de leiding over de spaceshuttle had. Naast hem zat zijn piloot, de reservegezagvoerder. 'Hm. Dus jullie zijn astronauten op een soort sterrenreis?' mompelde hij met een gek stemmetje.

'Sorry, zei u iets, gezagvoerder?' klonk een stem in George' koptelefoon.

'O, eh, eh...' zei George. Hij was even vergeten dat men in het controlecentrum alles kon verstaan. 'Ik vroeg me alleen af wat buitenaardse wezens tegen ons zouden zeggen, als we die vandaag tegenkomen.'

Er werd gelachen. 'Doe ze in elk geval de groeten van ons.'

'T-minus drie minuten en drie seconden. Motoren in startpositie.'

Vroem, vroem, dacht George. De drie motoren en de twee startmotoren van de lanceerraketten zouden tijdens de eerste seconden van het opstijgen voor snelheid zorgen en nog voor de shuttle helemaal loskwam van de lanceertoren zou hij een snelheid hebben van 160 kilometer per uur. Binnen achtenhalve minuut zou hij een snelheid bereiken van 28.163 kilometer per uur!

'T-minus twee minuten. Sluit de kleppen.' George' handen jeukten. Voor hem zag hij honderden knopjes en hij zou heel graag een paar van die knopjes indrukken om te zien wat er gebeurde, maar hij deed het toch maar niet. Er was ook een joystick die hij, de gezagvoerder, zou gebruiken om de shuttle te besturen als ze eenmaal in de ruimte waren en naar het Internationaal Ruimtestation zouden gaan. Het was alsof hij met de joystick een auto moest besturen, alleen kon hij het vaartuig niet alleen naar rechts en naar links laten bewegen, maar ook op en neer. Met één vinger raakte hij de joystick aan, alleen om te weten hoe dat voelde. Een van de elektronische grafieken lichtte even op. Hij trok snel zijn hand terug en deed net alsof hij nergens was aangekomen.

'T-minus vijfenvijftig seconden. Uitschakeling van het vergrendelingssysteem van de twee lanceerraketten.' De twee raketten zouden de spaceshuttle omhoogbrengen tot ze ongeveer 370 kilometer boven de aarde waren. Ze hadden geen 'uit'-knop. Als ze eenmaal waren ontstoken, was er geen weg meer terug.

Tot ziens, aarde, dacht George. Ik kom snel weer terug. Hij voelde een steek in zijn buik omdat hij die prachtige planeet, zijn vrienden en zijn familie achter zich liet. Over niet al te lange tijd zou hij boven hun hoofden omhoogschieten, op weg naar het ISS, het Internationaal

Ruimtestation. Hij zou naar beneden kunnen kijken terwijl het iss hoog in de lucht elke negentig minuten een baan om de aarde maakte. Vanuit de ruimte zou hij de omtrekken van de continenten, de oceanen, de woestijnen, de bossen en de meren kunnen zien en 's nachts de lichtjes van de grote steden. Vanaf de aarde zou het iss voor zijn vader en moeder en zijn vrienden Erik, Annie en Susan tijdens een heldere nacht alleen een klein stipje zijn dat snel langs de hemel bewoog.

'T-minus eenendertig seconden. Controlecentrum in Houston neemt communicatie over.'

De astronauten schoven heen en weer in hun stoelen. Ze wilden tijdens hun lange reis zo makkelijk mogelijk zitten. Binnen in de cockpit was het behoorlijk klein en vol. George had zich in allerlei bochten moeten wringen om bij zijn plaats te komen voor de lancering, en een ruimtevaartingenieur had George moeten helpen om in zijn stoel te klauteren. De spaceshuttle stond rechtop voor de lancering, dus in de cockpit stond alles op z'n kop. De stoel lag achterover zodat George' voeten naar de neus wezen en zijn ruggengraat liep parallel aan de grond onder hem.

De shuttle stond in raketpositie te wachten tot hij verticaal door de lucht, de wolken en de atmosfeer zou vliegen, op naar de kosmos zelf.

'T-minus zestien seconden,' zei de robotstem rustig. 'Geluidsonderdrukkend watersysteem geactiveerd. T-minus vijftien seconden.'

'Lancering over vijftien seconden, gezagvoerder

George,' zei de piloot die in de stoel naast George zat. 'De spaceshuttle wordt over vijftien seconden gelanceerd.'

'Joe-hoe!' juichte George. Oeps, dacht hij.

'Joe-hoe terug, gezagvoerder,' antwoordde het controlecentrum. 'Een goede vlucht.'

George trilde van opwinding. Elke ademhaling bracht hem dichter bij het moment dat de shuttle zou opstijgen.

'T-minus tien seconden. Waterstof wordt vrijgegeven voor ontsteking. Grondcontrole gereedmaken voor de ontsteking van de hoofdmotoren.'

Dit was het dus! Nu ging het echt gebeuren!

Door het raam kon George een strook groen gras zien en daarboven de blauwe lucht waar vogels cirkelden. Hij lag op zijn rug in de astronautenstoel en probeerde rustig en beheerst te blijven.

'T-minus zes seconden,' zei de omroeper. 'Hoofdmotoren ontstoken.' Toen de drie hoofdmotoren startten, voelde George dat hij heen en weer geschud werd, ook al bewoog de shuttle nog niet. Door zijn koptelefoon hoorde hij opnieuw het controlecentrum.

'Lancering over T-minus vijf seconden en we tellen af. Vijf, vier, drie, twee, één. Jullie worden gelanceerd.'

'Ja,' zei George heel rustig, alhoewel hij het vanbinnen uitschreeuwde. 'We worden gelanceerd.'

'T-minus zero. Ontsteking van de draagraketten.'

Het schudden nam toe. Onder George en de andere astronauten ontbrandden de twee startmotoren van de raket. Het was alsof je van achteren een harde trap kreeg. Met een enorm gebrul doorbraken de raketten de stilte. De spaceshuttle kwam los van de lanceerinrichting en vloog richting de hemel. George had het gevoel dat hij aan een enorme vuurpijl zat die vanaf de aarde de lucht in werd geschoten. Op dit moment kon er van alles gebeuren: de shuttle kon exploderen, hij kon van koers veranderen en weer op de aarde storten of de lucht in schieten en gaan tollen. En George zou er niets aan kunnen doen.

Door het raam zag hij overal de blauwe kleur van de atmosfeer van de aarde, maar de aarde zelf kon hij niet meer zien. Hij liet zijn eigen planeet achter zich! Een paar seconden na de lancering maakte de shuttle een draai zodat de astronauten ondersteboven kwamen te hangen, onder de grote oranje brandstoftank.

'Aaaaaahhh!' schreeuwde George. 'We hangen ondersteboven! We vliegen achterstevoren door de ruimte! Help! Help!'

'Het is in orde, gezagvoerder!' zei de piloot. 'Zo doen we het altijd.'

Twee minuten na de lancering voelde George een enorme schok die de hele spaceshuttle deed schudden.

'Wat was dat?' schreeuwde hij.

Door het raam zag hij de eerste en toen de tweede lanceerraket loskomen en met een grote boog van de shuttle wegvliegen.

Nu de lanceerraketten waren verdwenen, was er veel minder lawaai; het was zelfs zo rustig dat het in de orbiter bijna stil was. George keek door het raam en wilde de stilte doorbreken door te juichen. De shuttle draaide opnieuw zodat de orbiter zich weer boven de oranje brandstoftank bevond in plaats van eronder.

Na acht minuten en dertig seconden in de lucht – George had het idee dat er een paar eeuwen voorbij konden zijn gegaan zonder dat hij het had gemerkt – gingen de drie hoofdmotoren uit en kwam de externe brandstoftank los.

'Daar gaat-ie!' riep de piloot, en door het raam zag George de grote oranje brandstoftank uit het zicht verdwijnen. De tank zou in de atmosfeer verbranden.

Ze passeerden de scheidslijn waar de blauwe lucht van de aarde in het zwart van het heelal veranderde. Om hen heen scheen het licht van de sterren. Ze gingen nog steeds omhoog, maar het zou nu niet lang meer duren voor ze hun maximale hoogte hadden bereikt.

'Alle systemen werken goed,' zei George' piloot, die alle knipperende lichtjes op de panelen controleerde. 'Op naar de orbit. Gezagvoerder, brengt u ons in de baan rond de aarde?'

'Jawel,' zei George zelfverzekerd, en hij sprak tot het controlecentrum in Texas. 'Houston,' – hij sprak de bekendste woorden uit de geschiedenis van de ruimtevaart – 'We are go for orbit. Ontvangt u mij, Houston? Dit is de Atlantis. We naderen de baan om de aarde.'

In de donkerte om hen heen waren de sterren plotseling heel erg helder en dichtbij. Een van de sterren schoot plotseling hun kant op en het felle licht scheen op George' gezicht. Het was zo helder en schitterend dat...

Met een schok werd George wakker en langzaam drong het tot hem door dat hij in een vreemd bed lag en dat iemand met een zaklantaarn in zijn gezicht scheen.

'George!' fluisterde diegene. 'George! Wakker worden! Het is een noodgeval!'

## 1

Het was niet makkelijk om te beslissen wat hij aan zou trekken. 'Kom als je favoriete ruimteobject,' had Erik Bellis gezegd. Erik was de wetenschapper die naast hem woonde en hij had George uitgenodigd voor zijn feestje. Het thema was de ruimte. Het probleem was dat George zoveel favoriete ruimteobjecten had dat hij niet wist wat hij moest kiezen.

Moest hij zich verkleden als Saturnus met zijn ringen?

Misschien kon hij als Pluto gaan, die arme kleine planeet die geen planeet meer was.

Of zou hij als de donkerste, machtigste kracht van het universum gaan: als een zwart gat? Hij dacht daar niet te lang over: hoe wonderbaarlijk, enorm en fascinerend zwarte gaten ook waren, hij rekende ze niet echt tot zijn lievelingsobjecten. Je kon moeilijk dol zijn op iets wat zo gulzig was en alles, maar dan ook alles wat te dichtbij kwam, opslokte – zelfs het licht.

Ten slotte hakte George de knoop door. Hij had met zijn vader op internet naar beelden van het zonnestelsel gekeken en ze hadden een foto gevonden die vanaf Mars door een rover naar de aarde was gestuurd. De Mars-rover was een van de robots die de oppervlakte van Mars onderzocht. Op de foto was het net alsof er op de rode planeet een figuur stond. Toen George de foto zag, wist hij onmiddellijk dat hij als de Man van Mars naar Eriks feest wilde gaan. Zelfs George' vader, Terence, werd enthousiast toen hij de foto zag. Natuurlijk wisten ze allebei wel dat het geen marsmannetje was. Het was gezichtsbedrog: het licht viel op een rotsachtige uitstulping waardoor die net een mens leek. George wist dat wel, maar het was zo spannend om je voor te stellen dat er andere wezens in het eindeloze heelal zouden zijn.

'Pap, denk jij dat daar echt wezens zijn?' vroeg George terwijl ze naar de foto staarden. 'Zoals marsmannetjes of buitenaardse wezens in andere zonnestelsels? En als ze bestaan, denk je dan dat ze naar de aarde komen om ons te bezoeken?'

'Als ze bestaan,' zei zijn vader, 'dan denk ik dat ze naar ons kijken en zich afvragen wat voor een wezens wij zijn. Wezens die zo'n mooie planeet hebben en er zo'n

zootje van maken. Ze denken vast dat wij heel dom zijn.'
Somber schudde hij zijn hoofd.

George' ouders waren allebei milieuactivisten. Ze wilden de aarde redden. Als onderdeel van hun strijd wilden ze tot voor kort geen elektrische apparaten in huis hebben. Dingen zoals telefoons en computers waren verboden. Maar toen George met de wetenschapswedstrijd op school de eerste prijs had gewonnen – een computer, die helemaal alleen van hem was – hadden zijn ouders de moed niet gehad om de computer te verbieden.

En... sinds ze een computer in huis hadden, had George zijn ouders laten zien hoe hij werkte en hij had ze zelfs geholpen om een indrukwekkend pamflet te maken met een grote foto van Venus. WIE ZOU HIER WILLEN WONEN? stond er in grote letters onder. *Zwavelzuurdampen, temperaturen boven de 470 graden Celsius... De zeeën zijn op-*

*gedroogd en de atmosfeer is zo dik dat het zonlicht er niet doorheen kan schijnen. Dit is Venus, maar als we niet oppassen wordt onze aarde ook zo. Zou jij op zo'n planeet willen wonen?* George was erg trots op de poster. Zijn ouders en hun vrienden hadden hem per e-mail over de hele wereld verspreid om hun doel duidelijk te maken.

George wist genoeg van Venus om te weten dat er op die stinkende, hete planeet geen leven kon voorkomen. Dus hij dacht er niet eens aan om als Venusiaan naar Eriks feestje te gaan. In plaats daarvan vroeg hij zijn moeder, Daisy, of zij hem wilde helpen met donkeroranje, bobbelige kleren en een hoge punthoed, zodat hij precies op de Marsiaan van de foto leek.

# VENUS

Na de zon en de maan is het de helderste planeet. Venus, die is vernoemd naar de Romeinse godin van de schoonheid, is al sinds de oudheid bekend. Oude Griekse astronomen dachten dat het twee sterren waren, een die 's ochtends scheen, Phosphorus, en een die 's avonds scheen, Hesperus. De Griekse filosoof en wiskundige Pythagoras ontdekte dat het een en dezelfde planeet was.

*Venus is vanaf de zon gezien de tweede planeet en qua grootte is het de zesde planeet van ons zonnestelsel.*

## In andere opzichten verschilt Venus echter heel erg van de aarde.

Venus heeft een heel dichte en giftige atmosfeer die grotendeels uit koolstofdioxide en wolken van zwavelzuur bestaat. Deze wolken zijn zo dicht dat ze de hitte vasthouden, waardoor Venus de heetste planeet van ons zonnestelsel is. Het is er zo heet dat je er onmiddellijk zou smelten. De druk van de atmosfeer is negentig keer groter dan die op aarde. Dat betekent dat je als je op de oppervlakte van Venus zou staan, je dezelfde druk zou voelen als op de bodem van een heel diepe oceaan op aarde.

*Venus wordt ook wel de tweelingplaneet of de zusterplaneet van de aarde genoemd. De planeet is ongeveer even groot en heeft globaal dezelfde massa en samenstelling als de aarde.*

De dichte wolken van Venus houden niet alleen de hitte vast, ze weerspiegelen ook het licht van de zon. Vandaar dat de planeet 's nachts zo helder aan onze donkere hemel staat. Het zou kunnen dat er vroeger op Venus oceanen zijn geweest, maar door het broeikaseffect zijn ze verdampt en is het water op de planeet verdwenen.

Sommige wetenschappers denken dat de gevolgen van het broeikaseffect op Venus lijken op de omstandigheden die op aarde kunnen ontstaan als de opwarming hier niet wordt tegengegaan.

*Venus is de meest onwaarschijnlijke plek in ons zonnestelsel voor het ontstaan van leven.*

22

Sinds Mariner 2 in 1962 een bezoek bracht aan Venus, is de planeet meer dan 20 keer bezocht. De eerste ruimtesonde die op een andere planeet landde, was de Russische Venera 7 die in 1970 op Venus landde. Venera 9 stuurde foto's van het oppervlak naar de aarde, maar hij had hier niet veel tijd voor: de ruimtesonde smolt na 60 minuten op deze wrede planeet geweest te zijn! De Amerikaanse orbiter Magellan gebruikte later radaropnamen om beelden van details van het oppervlak van Venus naar de aarde te sturen. Het oppervlak was tot die tijd onzichtbaar geweest door de dikke wolken in de atmosfeer.

Venus draait in een andere richting dan de aarde!
Als je door de dikke wolken de zon zou kunnen zien, zou je die in het westen zien opgaan en in het oosten zien ondergaan. Dit heet 'in retrograde'-richting. De richting waarin de aarde draait wordt 'prograde'-richting genoemd.

Eén jaar op Venus = 224,7 aardse dagen

Venus draait net als andere planeten om zijn eigen as.
Hij doet hier alleen heel lang over. Voordat hij om zijn eigen as is gedraaid, is hij al helemaal om de zon heen gedraaid. Op Venus duurt een dag dus langer dan een jaar op aarde.

## Eén jaar op Venus = 224,7 aardse dagen

Ongeveer twee keer per eeuw staat Venus tussen de zon en de aarde in. Dit wordt de Venusovergang genoemd. Deze Venusovergangen komen altijd paarsgewijs voor en er zit altijd acht jaar tussen. Sinds de telescoop werd uitgevonden heeft men Venusover-gangen waargenomen in 1631 en 1639; 1761 en 1769; en 1874 en 1882. Op 8 juni 2004 zagen astronomen de kleine stip van Venus voor de zon schuiven; de volgende overgang van deze eenentwintigste-eeuwse serie vindt plaats op 6 juni 2012.

Venus draait één keer in de 243 aardse dagen om zijn as.

In zijn kostuum zwaaide hij naar zijn ouders – die zelf een leuk avondje op het programma hadden staan: ze zouden ecovrienden helpen om vegetarische hapjes te maken voor hun feestje. George wurmde zich door het gat in de schutting die zijn tuin scheidde van die van Erik. George had het gat ontdekt toen zijn varken, Freddie (die hij van zijn oma had gekregen), uit zijn stal was ontsnapt. Freddie was door het gat gerend en was via de achterdeur Eriks huis binnengegaan. George had de sporen van Freddies hoeven gevolgd en zo had hij zijn nieuwe buren ontmoet. Deze toevallige ontmoeting met Erik en zijn gezin had George' leven voor altijd veranderd.

Erik had George zijn wonderbaarlijke computer laten zien, Kosmos, die zo slim was dat hij deuren kon tekenen waar Erik, zijn dochter Annie en George doorheen konden stappen en elk deel van het universum konden bezoeken dat bekend was.

Maar de ruimte kan erg gevaarlijk zijn. Daar kwam George achter toen er aan een van hun ruimteavonturen een einde kwam doordat Kosmos bij een reddingsactie oververhit raakte en explodeerde.

Vanaf die dag werkte Kosmos niet meer en George had dus geen kans meer gehad om door de deuropening te stappen en door het zonnestelsel en zelfs nog verder te reizen. Hij miste Kosmos, maar hij had Erik en Annie tenminste nog. Ook al kon hij niet meer met ze door de ruimte reizen, hij kon hen zo vaak opzoeken als hij wilde.

George rende over het tuinpad naar de achterdeur van Eriks huis. Er brandde overal licht en er klonken stemmen en muziek. Hij deed de deur open en stapte de keuken binnen.

Annie, Erik en Susan, Annies moeder, zag hij nergens, maar er waren wel een heleboel andere mensen. Eén volwassene hield direct een schaal met glanzende, zilverkleurige cakejes onder zijn neus. 'Neem een meteoriet!' zei de man vrolijk. 'Of misschien moet ik zeggen: neem een meteoroïde!'

'O... nou, eh... lekker,' zei George een beetje verbaasd. 'Ze zien er heerlijk uit,' voegde hij eraan toe. Hij nam een cakeje van de schaal.

'Als ik dit zou doen,' ging de man verder, en hij liet een paar cakejes op de vloer vallen, 'dan zou ik kunnen zeggen: "Neem een meteoriet!" Want dan zouden ze de grond geraakt hebben. Maar als ik ze aanbied terwijl ze in de lucht hangen, dan zijn het – technisch gesproken – nog steeds meteoroïden.' Hij keek grijnzend naar George en naar de cakejes die bij zijn voeten lagen. 'Snap je het verschil? Een meteoroïde is een stuk gesteente dat door de lucht vliegt; als dat stuk op aarde terechtkomt, noem je het een meteoriet. Dus nu ik ze op de grond heb laten vallen, kunnen we ze meteorieten noemen.'

Met het cakeje in zijn hand lachte George beleefd, knikte en deed een stap naar achteren.

'Au!' hoorde hij iemand piepen.

'Oeps!' zei hij, en hij draaide zich om.

'Geeft niet, ik ben het maar!' Het was Annie, die helemaal in het zwart was gekleed. 'Je had me toch niet kunnen zien, want ik ben onzichtbaar!' Ze griste het cakeje uit zijn hand en propte het in haar mond. 'Je weet alleen dat ik er ben door het effect dat ik heb op de dingen om me heen. Dus wat ben ik dan?'

'Een zwart gat natuurlijk!' zei George. 'Je slokt alles op wat bij je in de buurt komt, je bent een gulzig varken.'

'*Nope*!' zei Annie triomfantelijk. 'Ik wist dat je dat zou gaan zeggen, maar dat is fout! Ik ben...' Ze glunderde trots '... donkere materie.'

'Wat is dat?' vroeg George.

'Dat weet niemand,' zei Annie geheimzinnig. 'We kunnen het niet zien, maar het lijkt erop dat het heel erg belangrijk is om de sterrenstelsels bij elkaar te houden. Wat ben jij?'

'Nou, eh...' zei George. 'Ik ben de Man van Mars, je weet wel, van de foto's.'

'O, ja!' zei Annie. 'Je zou mijn Marsiaanse voorvader kunnen zijn. Dat is gaaf.'

Om hen heen was het feest in volle gang. Groepjes volwassenen in de vreemdste kleren stonden etend en drinkend bij elkaar en praatten om het hardst. Eén man was

verkleed als microgolf en een andere als raket. Er was een vrouw met een exploderende ster opgespeld en een man met een minisatelliet op zijn hoofd. Er sprong een man in het rond met een felgroen pak aan die tegen de anderen zei: 'Breng me naar uw leider' en weer iemand anders blies een heel grote ballon op waarop stond: HET HEELAL DIJT UIT. Een man die helemaal in het rood was, ging steeds naast iemand staan en deed dan weer een stap achteruit, maar niemand had nog geraden wat hij was. Naast hem stond een wetenschapper met een heleboel verschillende hoelahoepen om zijn middel. Aan elke ring zat een bal en alle ballen waren verschillend van grootte. Als hij liep, draaiden de hoelahoepen om hem heen.

'Annie,' drong George aan. 'Ik begrijp niks van die kostuums. Als wat zijn ze gekomen?'

'Eh, ze zijn gekomen als dingen die je in de ruimte vindt. Je moet alleen weten hoe je naar ze moet kijken,' zei Annie.

'Hoe dan?' vroeg George.

'Nou, die man in het rood bijvoorbeeld,' legde Annie uit, 'die gaat steeds bij mensen weg. Dat betekent dat hij doet alsof hij een roodverschuiving is.'

'Een wát?'

'Als een ver weg gelegen object in het heelal zich van je af beweegt, zoals een sterrenstelsel, dan wordt het licht roder dan anders. Die man is helemaal in het rood gekleed en hij neemt steeds afstand van mensen om te laten zien dat hij als roodverschuiving is gekomen.

Iedereen is verkleed als een of ander kosmisch iets wat je in de ruimte kunt vinden, zoals microgolven en onbekende planeten.'

Annie vertelde het alsof het de gewoonste zaak van de wereld was dat je dit allemaal wist en dat je dat op een feestje kon opdreunen. George was opnieuw een beetje jaloers op haar. Hij was dol op wetenschap en hij las allerlei boeken en zocht artikelen op internet op en hij vroeg heel veel aan Annies vader, die wetenschapper was. Als George groot was wilde hij ook wetenschapper worden, zodat hij alles wist wat er te weten viel en misschien zelf wel een bijzondere ontdekking zou doen. Annie daarentegen was helemaal niet zo onder de indruk van de wonderen van het heelal.

Toen George haar had leren kennen, wilde ze ballerina worden, maar ze was van gedachten veranderd en nu had ze besloten dat ze voetballer zou worden. Na school had ze geen roze tutu meer aan, maar rende ze rond in de achtertuin en trapte de bal langs George, die altijd op doel moest staan. Toch wist Annie veel meer over het heelal dan George.

Annies vader, Erik, kwam de kamer binnen, maar hij had zijn gewone kleren aan en zag er niet anders uit dan normaal.

'Erik,' riep George, die vol vragen zat, 'als wat ben jij gekomen?'

'O, ik?' Erik glimlachte. 'Ik ben de enige vorm van intelligent leven in het heelal,' zei hij bescheiden.

'Wat zeg je?' vroeg George. 'Bedoel je dat je de enige

# HOE REIST LICHT DOOR DE RUIMTE?

Een van de belangrijkste dingen in het universum is het elektromagnetische veld. Het veld is overal en houdt niet alleen atomen bij elkaar, maar het zorgt er ook voor dat kleine deeltjes van atomen (die elektronen worden genoemd) verschillende atomen verbinden of dat er elektrische stroming ontstaat. De wereld om ons heen bestaat uit grote hoeveelheden atomen die door het elektromagnetische veld bij elkaar gehouden worden; zelfs levende dingen zoals mensen kunnen dankzij het elektromagnetische veld bestaan en functioneren.

Als je een elektron heen en weer beweegt, veroorzaakt dat golven in het hele veld. Dit lijkt op wat er gebeurt als je met je vinger in het bad heen en weer beweegt en er kringen in het water ontstaan. Deze golven worden elektromagnetische golven genoemd en doordat het veld overal is, kunnen ze heel ver door het universum reizen tot ze door andere elektronen worden gestopt die hun energie absorberen. Je hebt verschillende soorten golven en sommige hebben invloed op het menselijke oog. We kennen deze als de verschillende kleuren van zichtbaar licht. Andere soorten zijn bijvoorbeeld radiogolven, microgolven, infrarood, ultraviolet, röntgenstralen en gammastralen. Elektronen bewegen voortdurend – door de atomen die ook constant bewegen – en dus zijn er altijd elektromagnetische golven die veroorzaakt worden door objecten. Op kamertemperatuur zijn ze grotendeels infrarood, maar in objecten die veel warmer zijn, zijn de bewegingen agressiever en produceren ze zichtbaar licht.

Objecten in de ruimte met een hoge temperatuur, zoals sterren, produceren zichtbaar licht dat heel lang onderweg kan zijn voordat het iets bereikt. Als je naar een ster kijkt, kan het zijn dat het licht al honderden jaren door de ruimte heeft bewogen. Het komt je oog binnen en doordat de elektronen van je netvlies in beweging worden gebracht, wordt het omgezet in elektriciteit. Die wordt via de oogzenuw doorgegeven aan je hersenen; en je hersenen zeggen: 'Ik zie een ster!' Als de ster erg ver weg is, heb je wellicht een telescoop nodig om genoeg licht te verzamelen zodat je oog hem kan onderscheiden. De bewegende elektronen kunnen ook voor een foto zorgen of een signaal naar een computer sturen.

De snelheid van het licht is circa 300.000 km per seconde. Dit is heel erg snel, maar het licht van de zon doet er toch nog acht minuten over om ons te bereiken; vanaf de dichtstbijzijnde ster doet het licht er vier jaar over.

Het heelal dijt constant uit – het wordt steeds groter, zoals een ballon. Dit betekent dat verafgelegen sterren en sterrenstelsels van de aarde af bewegen. Terwijl hun licht onze kant op reist, wordt het licht dus uitgerekt. Hoe groter de afstand is die het licht aflegt, hoe 'langer' het wordt. Het oprekken maakt zichtbaar licht roder. Dit verschijnsel noemt men roodverschuiving. Uiteindelijk, als het licht ver genoeg heeft gereisd en heel erg opgerekt is, is het licht niet meer zichtbaar. Het wordt eerst infrarood en daarna wordt het omgezet in microgolfstraling. (Op aarde gebruiken we deze straling voor magnetrons.) Dit is precies wat er met het ongelooflijk krachtige licht van de oerknal is gebeurd: nadat het dertien miljard jaar heeft gereisd, is het nog steeds waarneembaar als microgolven die vanuit de verste verten van de ruimte komen. Met een mooie term wordt dit de kosmische achtergrondstraling genoemd en het is niets minder dan de hitte die is overgebleven na de oerknal.

intelligente persoon van het hele heelal bent?'

Erik lachte. 'Zeg het maar niet te hard,' zei hij tegen George, en hij gebaarde naar de andere wetenschappers. 'Straks is iemand nog beledigd. Ik bedoel dat ik als mens ben gekomen; voor zover we weten is dat de enige intelligente vorm van leven in het heelal.'

'O,' zei George. 'Maar hoe zit het met al je andere vrienden? Als wat zijn zij gekomen? En waarom betekent rood licht dat iets zich verwijdert? Dat begrijp ik niet.'

'Maak je geen zorgen,' zei Erik vriendelijk. 'Als iemand het je zou uitleggen, zou je het wel begrijpen.'

'Kun jíj het me dan uitleggen?' smeekte George. 'Kun je me alles over het heelal vertellen? Net zoals je met de zwarte gaten hebt gedaan? Kun je me alles vertellen over rode dingen en donkere materie en al het andere?'

'O, jee,' zei Erik, en zijn stem klonk een beetje spijtig. 'George, ik zou je heel graag alles over het heelal vertellen, maar ik denk niet dat daar tijd voor is voordat ik... Wacht even...' Hij maakte zijn zin niet af en staarde in de verte, wat hij wel vaker deed als hij een idee had. Hij zette zijn bril af, poetste met zijn shirt de glazen schoon, zette de bril weer op zijn neus, net zo scheef als daarvoor, en schreeuwde toen opgewonden: 'Ik weet wat! Ik weet wat we kunnen doen! Wacht maar, George, ik heb een heel goed plan.'

Erik pakte een zachte drumstok en sloeg op een enorme koperen gong. Er klonk een zachte, lage gongslag.

'Oké, wil iedereen even hier komen?' zei Erik, en hij gebaarde dat iedereen moest komen. 'Kom op, kom op, schiet op! Ik wil jullie iets zeggen.'

Er ging een golf van opwinding door de menigte.

'Goed zo,' ging hij verder. 'Ik heb vandaag de Orde van Wetenschappers bijeen laten komen voor dit feest...'

'Hoera!' riep iemand van achter uit de kamer.

'En ik wil graag dat we het hoofd buigen over een aantal vragen die mijn vriend George me heeft gesteld. Hij wil van alles weten! Om te beginnen wil hij vast wel weten wat jouw kostuum is!' Hij wees naar de man met de hoelahoepen.

'Ik ben naar dit feest gekomen,' begon de wetenschapper opgewekt, 'als een onbekend planetenstelsel waar we een nieuwe planeet als de aarde zouden kunnen ontdekken.'

'Annie,' fluisterde George, 'is dat niet precies wat dr. Kuiper deed? Nieuwe planeten zoeken?'

Dr. Kuiper was een oud-collega van Erik die de wetenschap wilde gebruiken voor zijn eigen zelfzuchtige plannen. Hij had tegen Erik gezegd dat hij een exoplaneet had gevonden – dat is een planeet die in een baan om een ster draait, net zoals de aarde een baan rond de zon maakt. Hij had beweerd dat het mogelijk was om op deze nieuwe planeet te leven. Maar de aanwijzingen die hij Erik had gegeven waren vals geweest en op zoek naar de planeet was Erik gevaarlijk dicht bij een zwart gat gekomen. Dr. Kuiper had geprobeerd om Erik te laten verdwijnen, zodat hij de baas kon zijn over Kosmos, Eriks supercomputer. Maar Kuipers valse streek was niet gelukt en Erik was veilig teruggekomen uit het zwarte gat.

Niemand wist waar dr. Kuiper sindsdien was gebleven: nadat zijn grootse plannen waren mislukt, was hij gevlucht. George had Erik toen gesmeekt om iets tegen Kuiper te doen, maar Erik had hem gewoon laten gaan.

'Dr. Kuiper wist hóé hij naar planeten moest zoeken,' zei Annie, 'maar we weten niet of hij er ook echt een gevonden heeft. Tenslotte zijn we er nooit achter gekomen of de planeet waar hij mijn vader over had geschreven echt bestond of niet.'

'Bedankt, Sam,' zei Erik. 'En hoeveel planeten heb je tot nu toe gevonden?' vroeg hij aan de hoelahoepman.

'Tot nu toe,' antwoordde Sam, en terwijl hij sprak bewogen zijn hoelahoepen heen en weer, 'driehonderdeenendertig exoplaneten waarvan er meer dan honderd om sterren draaien die redelijk dichtbij zijn. Sommige van deze sterren hebben meer dan één planeet om zich heen draaien.' Hij wees naar zijn hoelahoepen. 'Ik ben een dichtbijgelegen stelsel met vijf planeten die rond hun ster draaien.'

'Wat bedoelt hij met "dichtbijgelegen"?' vroeg George zachtjes aan Annie, die de vraag aan Erik doorgaf. Haar vader fluisterde iets terug en zij gaf het weer door aan George.

'Hij bedoelt waarschijnlijk zo'n veertig lichtjaren hier-vandaan, dus zo'n driehonderdachtenzeventig biljoen kilometer,' zei Annie. 'Voor het heelal is dat best dicht-bij!'

'Heb je iets gezien wat op de aarde lijkt? Een planeet die we "thuis" zouden kunnen noemen?'

'We hebben een paar planeten gevonden die een twee-de aarde zouden kunnen zijn, let op: zouden kunnen. Onze planetenzoektocht gaat door.'

'Dank je, Sam,' zei Erik. 'Ik wil dat we het volgende gaan doen: ik wil dat we allemaal George' vragen beant-woorden. Ieder van jullie...' – hij deelde papier en pen-nen uit – 'kan aan het eind van dit feest op een of twee blaadjes beschrijven wat het boeiendste onderwerp is waar je aan werkt. Als je geen tijd hebt om het nu af te maken, kun je me het ook per post of per mail sturen.'

De wetenschappers keken heel enthousiast. Ze von-den het geweldig om over het interessantste deel van hun werk te praten.

'En,' voegde Erik er snel aan toe, 'voordat we weer

verdergaan met feestvieren heb ik nog een mededeling – een van mezelf, deze keer. Ik ben heel blij en trots dat ik jullie kan vertellen dat ik een nieuwe baan heb! Ik ga voor het Global Space Agency werken om op zoek te gaan naar tekenen van leven in ons zonnestelsel, om te beginnen op Mars!'

'Wauw!' zei George. 'Dat is fantastisch!' Hij keek naar Annie, maar zij reageerde niet.

'Dus,' ging Erik verder, 'over een paar dagen zullen mijn gezin en ik onze koffers pakken... en naar het hoofdkwartier van het Global Space Agency verhuizen, in de Verenigde Staten!'

Op dat moment viel George' universum in duigen.

2

George vond het verschrikkelijk om te zien hoe zijn buren hun huis leeghaalden en zich klaarmaakten voor vertrek. Hij wilde echter nog zo lang mogelijk bij hen zijn voordat ze uit zijn leven zouden verdwijnen. Dus ging hij er elke dag heen om toe te zien hoe het huis vanbinnen dag na dag groter werd en meer en meer dingen werden opgeslokt. Eerst door grote kartonnen dozen met GLOBAL SPACE AGENCY-stickers erop en daarna door bestelbusjes die af en aan reden om de spullen weg te brengen.

'Het is zo spannend!' riep Annie telkens weer. 'We gaan naar Amerika! We worden filmsterren! We gaan enorme hamburgers eten! We gaan naar New York! We gaan...' Ze ratelde maar door over haar geweldige nieuwe leven en hoeveel beter alles in een ander land zou zijn.

Soms probeerde George haar te zeggen dat het er misschien niet allemaal zo fantastisch was, maar Annie was veel te opgewonden om te horen wat hij zei.

Erik en Susan deden beter hun best om hun enthousiasme over de grote verhuizing voor George te verbergen omdat ze hem geen pijn wilden doen. Maar zelfs zij konden het niet helemaal verborgen houden. Op een dag, toen het huis bijna leeg was, zat George in Eriks bibliotheek. Hij hielp hem om de waardevolle wetenschappelijke apparaten in oude kranten te wikkelen en ze voorzichtig in grote dozen te doen.

'Jullie komen toch wel terug?' smeekte George bijna. Alle foto's waren al van de muren gehaald en er stonden nog maar een paar boeken op de planken. Het huis voelde bijna net zo leeg en verlaten als voordat ze er waren komen wonen.

'Dat hangt ervan af!' zei Erik opgetogen. 'Misschien kan ik wel met de volgende ruimtemissie mee en blijf ik voor altijd daar.' Op dat moment zag Erik de eenzame blik in George' ogen. 'Nee, nee, zo bedoel ik het niet,' zei hij snel. 'Ik zou jullie nooit kunnen achterlaten. Ik zou hoe dan ook zorgen dat ik terug naar de aarde kwam.'

'Maar kom je terug en ga je dan weer hier wonen?' drong George aan. 'In je huis?'

'Het is niet echt mijn huis,' zei Erik. 'Het is gewoon een plek die ik had gekregen, zodat ik met Kosmos kon werken zonder dat iemand het in de gaten had. Helaas werd ik hier al door iemand opgewacht, door Roeland Kuiper.'

'Hoe wist dr. Kuiper dat je hier zou komen wonen?' vroeg George, terwijl hij een oude telescoop inpakte.

'Ah, nou, achteraf gezien lag het eigenlijk wel voor de hand dat ik hier zou komen wonen,' antwoordde Erik. 'Het huis was van onze oude leraar, een van de grootste wetenschappers uit de geschiedenis. Niemand weet waar hij nu is – hij lijkt van de aardbodem te zijn verdwenen. Maar voordat hij verdween, heeft hij me een brief geschreven waarin hij me zijn huis aanbood, omdat dit een plek was waar ik in het geheim met Kosmos kon werken. Het was heel belangrijk dat Kosmos geen gevaar zou lopen, maar uiteindelijk heb ik hem niet kunnen beschermen.' Erik keek heel verdrietig.

George legde de telescoop neer en pakte zijn schooltas. Hij haalde er een pak chocoladekoekjes uit, maakte de verpakking open en gaf het aan Erik. Die moest lachen toen hij zijn lievelingskoekjes zag. 'Ik zou er eigenlijk een kopje thee bij moeten zetten,' zei hij. 'Maar ik geloof dat we de ketel al hebben ingepakt.'

George nam een hap van zijn koekje. 'Wat ik niet begrijp,' zei hij, en hij bedacht dat dit misschien de laatste kans was om het aan Erik te vragen, 'is waarom je niet gewoon een nieuwe Kosmos bouwt.'

'Als ik dat kon, zou ik het doen,' zei Erik. 'Maar mijn leraar, Roeland Kuiper en ik hebben het prototype van Kosmos lang geleden samen gemaakt. De moderne uitvoering van Kosmos heeft nog steeds onderdelen van die eerste computer. Daarom kan ik hem niet zomaar opnieuw maken. Zonder de anderen weet ik niet goed hoe ik dat moet doen. Een van hen is verdwenen en de ander, nou goed, over hem weten we nu genoeg. Eigenlijk,' zei Erik, en hij likte de chocola van zijn vingers, 'zijn al onze levens veranderd doordat Kosmos stuk is gegaan. Nu ik hem niet meer heb, moet ik op zoek naar andere manieren om mijn onderzoek naar het heelal voort te zetten. Het betekent echter ook dat ik niet meer voortdurend bang hoef te zijn dat iemand erachter komt dat ik een super-supercomputer heb en dat iemand hem wil stelen. We zijn zo vaak verhuisd om Kosmos te beschermen. Arme Annie, ze heeft al in zoveel verschillende huizen gewoond, maar in dit huis was ze het gelukkigst.'

'Dat vraag ik me af,' zei George somber. 'Ze schijnt het helemaal niet erg te vinden om weg te gaan.'

'Ze wil jou niet achterlaten, jij bent haar beste vriend,' zei Erik tegen hem. 'Ze zal je missen, George, ook al laat ze dat niet merken. Ze zal niet snel weer zo'n goede vriend vinden.'

George slikte. 'Ik zal haar ook missen,' mompelde hij,

en zijn gezicht werd een beetje rood. 'En jou. En Susan.'

'We nemen niet voor altijd afscheid,' zei Erik zacht. 'We houden contact. En als je me ooit nodig hebt, dan hoef je me dat maar te laten weten. Ik zal alles voor je doen wat ik kan, George.'

'Eh, dank je,' stotterde George. Plotseling schoot hem iets te binnen. 'Is het wel veilig om te gaan?' zei hij, en hij kreeg een sprankje hoop. 'Kunnen jullie niet beter hier blijven? Wat als Kuiper je achterna reist naar Amerika?'

'Ik denk niet dat die arme Kuiper me nog iets kan maken,' zei Erik verdrietig.

'Die arme Kuiper?' zei George kwaad. 'Hij probeerde je in een zwart gat te lokken! Ik begrijp niet waarom je me-delijden met hem hebt! Ik snap het niet: waarom heb je niets tegen hem gedaan toen je daar de kans voor had?'

'Ik heb het Kuiper al moeilijk genoeg gemaakt,' zei Erik.

George opende zijn mond om iets te zeggen, maar Erik was hem voor.

'Luister, George,' zei hij stellig. 'Kuiper heeft me flink te pakken genomen en ik vermoed dat dat voldoende voor hem is. Hij heeft zijn wraak gehad en ik denk niet dat we hem ooit nog zullen zien. Bovendien doet Kosmos het niet meer, dus ik heb niets wat Kuiper van me zou willen stelen. Ik ben veilig en mijn gezin is veilig, en nu wil ik naar het Global Space Agency. Ze geven me de mo-gelijkheid om op zoek te gaan naar tekenen van leven op Mars en op andere planeten van ons zonnestelsel. Die kans kan ik toch niet laten schieten?'

'Nee, waarschijnlijk niet, nee,' zei George. 'Laat je het me weten als je iemand vindt op Mars?'

'Dat zal ik zeker doen,' beloofde Erik. 'Je zult een van de eersten zijn die het hoort. En, George... die telescoop is voor jou.' Hij wees naar de bronzen cilinder die George voorzichtig in een krant had gerold. 'Op die manier zul je niet vergeten naar de sterren te kijken.'

'Mag ik hem echt houden?' vroeg George verbaasd, en hij pakte de telescoop weer uit. Hij wreef met zijn hand over het koele, gladde metaal. 'Maar hij is toch heel veel waard?'

'Dat ben jij ook. En de observaties die jij zult doen als je hem gebruikt ook. Om je te helpen heb ik nog een speciaal afscheidscadeau voor je.' Erik dook tussen de stapels boeken en kwam uiteindelijk weer tevoorschijn met een gele map in zijn handen. Hij wuifde ermee naar George

en lachte. Op de voorkant stond in grote letters: REISGIDS VOOR DE RUIMTE.

'Weet je nog dat ik op het feestje al mijn vrienden heb gevraagd om een pagina te schrijven met antwoorden op de vragen die jij stelde?' vroeg hij aan George. 'Ik heb van hun antwoorden een boek gemaakt: een exemplaar voor jou en een voor Annie. Dit is het! Als je het leest, vergeet dan niet dat ik je een beetje wilde laten begrijpen wat het betekent om wetenschapper te zijn. Ik wilde je duidelijk maken dat mijn vrienden – we noemen elkaar collega's – het geweldig vinden om elkaars boeken te lezen en erover te praten. We vertellen elkaar over onze theorieën en ideeën, en dat is het belangrijkste – en het leukste – van ons beroep: je hebt collega's die je helpen, die je inspireren en die je uitdagen. Daar gaat dit boek over. Misschien vind je het leuk om de eerste paar pagina's samen te lezen. Ik heb ze zelf geschreven,' voegde hij er bescheiden aan toe.

Erik begon te lezen: REISGIDS VOOR DE RUIMTE

## Waarom gaan we de ruimte in?

Waarom gaan we de ruimte in? Waarom doen we zoveel moeite en geven we zoveel geld uit voor een paar brokken maansteen? Zijn er geen betere dingen die we op aarde kunnen doen?

De discussie kun je vergelijken met de discussie in Europa voor 1492. Toen vonden mensen het ook zonde van het geld om Christoffel Columbus met een schip de zee op te sturen. Hij ontdekte echter Amerika en dat veranderde alles. Stel je eens voor dat hij niet was gegaan: dan hadden we nu geen Big Mac gehad, en natuurlijk nog een heleboel andere dingen niet.

Als we ons door het heelal verspreiden, zullen de gevolgen nog veel groter zijn; het zal de toekomst van de mensheid totaal veranderen, het kan zelfs bepalend zijn of we een toekomst hebben.

Het kan de huidige problemen op onze planeet niet direct oplossen, maar het kan ons helpen om op een andere manier naar die problemen te kijken. Het wordt tijd dat we onze blik op het universum verruimen in plaats van alleen naar onze steeds dichter bevolkte planeet te kijken.

Mensen zullen niet snel naar een andere planeet emigreren. Dat zal nog honderden of zelfs duizenden jaren duren. We kunnen over zo'n dertig jaar een basis op de maan hebben, over zo'n vijftig jaar Mars bereiken en misschien gaan we over tweehonderd jaar naar andere manen van planeten die heel ver weg zijn. Met 'bereiken' bedoel ik dat er een bemande vlucht naartoe gaat, of misschien moet ik zeggen een 'bemenste' vlucht. We hebben al robotwagens op Mars rijden en ruimtesondes gestuurd naar Titan, een maan van Saturnus, maar als we het over de toekomst van de mensheid hebben, moeten we niet alleen robots sturen: dan moeten we er zelf naartoe.

Maar waar naartoe? Astronauten hebben al maanden doorgebracht op het Internationaal Ruimtestation, dus we weten inmiddels dat mensen niet per se op aarde hoeven te zijn om te kunnen overleven. We weten echter ook dat het al moeilijk is om zonder zwaartekracht in het Ruimtestation een kopje thee te drinken! Het is voor mensen niet goed om langere tijd zonder de zwaartekracht te leven, dus als we een basis in de ruimte zouden hebben, dan zou die zich op een planeet of een maan moeten bevinden waar zwaartekracht is.

Dus... welke zullen we kiezen? De meest voor de hand liggende is onze maan. Die is dichtbij en vrij eenvoudig te bereiken. We zijn er al op geland en hebben er met een maanwagentje overheen gereden. Maar... de maan is klein, en er is geen atmosfeer of een magnetisch veld om de zonnewinddeeltjes af te buigen, zoals op aarde. Er is geen vloeibaar water, maar misschien is er in de kraters op de noord- en de zuidpool ijs aanwezig. Mensen die zich op de maan zouden vestigen, zouden dit als zuurstofbron kunnen gebruiken, door de stroom te gebruiken die ze opwekken met behulp van nucleaire energie of zonnepanelen.

Hoe zit het met Mars? Mars komt wellicht als tweede in aanmerking. Mars ligt verder bij de zon vandaan dan onze aarde, dus krijgt die planeet minder warmte van de zon en is het er dus kouder. Ooit had Mars een magnetisch veld, maar dat is miljarden jaren geleden en dat betekent dat de planeet bijna al zijn atmosfeer heeft verloren. Er is slechts 1 à 2 procent van de druk die wij op aarde hebben.

Vroeger moet de atmosferische druk – dat wil zeggen: het gewicht van de lucht boven je in de atmosfeer – hoger zijn geweest, want er zijn sporen van opgedroogde rivieren en meren gevonden. Er kan nu op Mars geen vloeibaar water meer aanwezig zijn, want dat zou verdampen.

Toch is er bij de twee polen water aanwezig in de vorm van ijs. Als we op Mars zouden gaan wonen, zouden we dat kunnen gebruiken. We zouden ook de mineralen en metalen kunnen gebruiken die door de vulkanen naar de oppervlakte zijn gekomen.

De maan en Mars komen dus allebei in aanmerking. Maar naar welke planeten van ons zonnestelsel kunnen we nog meer gaan? Mercurius en Venus zijn veel te heet en Jupiter en Saturnus zijn grote gasbollen zonder een hard oppervlak.

We zouden de manen van Mars kunnen proberen, maar die zijn erg klein. Sommige manen van Jupiter en Saturnus zijn misschien beter geschikt. Titan, een maan van Saturnus, is groter en massiever dan onze maan en hij heeft een heel dichte atmosfeer. De NASA (National Aeronautics and Space Administration) en de ESA (de Europese Ruimtevaartorganisatie) stuurden een ruimtesonde naar Titan die foto's terugstuurde van het oppervlak. Het is er alleen erg koud omdat Titan zo ver van de zon vandaan is en het lijkt me ook niks om naast een meer van vloeibaar methaan te wonen.

Hoe zit het met de planeten die buiten ons zonnestelsel liggen? Door naar het heelal te kijken, weten we dat er behoorlijk wat sterren zijn waar planeten omheen draaien. Tot voor kort konden we alleen heel grote planeten zien ter grootte van Jupiter of Saturnus. Maar we zijn steeds beter in staat om ook de kleinere planeten te bekijken die op de aarde lijken. Sommige liggen in de 'Goldilocks-zone' of 'leefzone'. Dat betekent dat de afstand tussen de planeten en hun eigen ster vloeibaar water mogelijk maakt. Op tien lichtjaren van de aarde verwijderd liggen misschien wel duizend sterren. Als 1 procent van deze sterren een planeet heeft die in de leefzone ligt en net zo groot is als de aarde, dan hebben we tien planeten waar de mensheid misschien zou kunnen wonen.

Op dit moment kunnen we nog niet erg ver door het heelal reizen. We kunnen ons niet eens voorstellen hoe we zulke gigantische afstanden zouden moeten afleggen. Maar dat is wat we de komende 200 tot 500 jaar zouden moeten uitvinden. De mens bestaat als ras nu ongeveer twee miljoen jaar. Onze beschaving ontstond zo'n 10.000 jaar geleden en de snelheid waarmee de ontwikkelingen gaan neemt toe. We kunnen ons moedig begeven naar waar nog niemand is geweest. Wie weet wat we zullen vinden en wie we zullen tegenkomen?

Veel geluk op jullie kosmische reizen en ik hoop dat jullie wat aan dit kleine boekje hebben.

Interstellaire groet,

Erik

## 3

Uiteindelijk was de dag aangebroken waarop de deuren van het laatste bestelbusje dichtsloegen en alle spullen van Erik, Annie en Susan weg waren. Ze stonden op de stoep en namen afscheid van George en zijn ouders.

'Maak je geen zorgen!' zei George' vader. 'Ik let wel op het huis. Misschien maak ik de tuin een beetje op orde.' Hij gaf Erik een stevige handdruk. De wetenschapper trok wit weg en wreef met een pijnlijke blik in zijn handen.

George' moeder gaf Annie een knuffel. 'Wie gooit er nu nog een voetbal over mijn schutting?' zei ze. 'Mijn moestuin vindt het leven straks vast heel erg saai.'

Annie fluisterde iets in haar oor. Daisy glimlachte. 'Natuurlijk mag dat.' Ze keek naar George. 'Annie wil Freddie graag gedag zeggen,' zei ze tegen hem.

George knikte. Hij zei niets voor het geval zijn stem zou overslaan. Zwijgend liepen ze met zijn tweeën door George' huis naar de achtertuin.

'Tot ziens, Freddie,' piepte Annie toen ze over het hek van de varkensstal hing. 'Ik zal je heel erg missen!'

George haalde diep adem. 'Freddie zal jou ook missen,' zei hij. Hij moest zijn best doen om zijn tranen in te houden en daardoor piepte zijn stem een beetje. 'Hij vindt je heel leuk,' voegde hij eraan toe. 'Hij vond het heel leuk dat jij hier woonde en het zal niet meer hetzelfde zijn als jij weg bent.'

'Ik vond het hier ook heel leuk,' zei Annie verdrietig.

'Freddie hoopt dat je in Amerika geen ander varken tegenkomt dat je net zo leuk vindt,' zei George.

'Ik zal nóóit een ander varken zo leuk vinden als Freddie,' verklaarde Annie. 'Hij blijft voor altijd mijn lievelingsvarken!'

'Annie!' Ze hoorden de stem van Susan door het huis schallen. 'Annie, we moeten gaan!'

'Freddie vindt jou geweldig,' zei George. 'En hij wacht op je tot je terug bent.'

'Dag, George,' zei Annie.

'Dag, Annie,' zei George. 'Tot in de ruimte.'

Annie liep langzaam weg. George klom over het hek van de varkensschuur en ging in het warme stro zitten.

'We zijn weer met z'n tweeën, Freddie, mijn kosmische varken,' zei hij somber. 'Net als vroeger.'

Toen Erik, Susan en Annie waren vertrokken, was het verschrikkelijk stil in de achtertuin. Alle dagen leken op elkaar. George' leven was best leuk: de verschrikkelijke dr. Kuiper was van school en sinds hij de wetenschaps-wedstrijd had gewonnen, had hij een paar vrienden met wie hij in de pauze kon optrekken. De etters – die het hem zo moeilijk hadden gemaakt toen dr. Kuiper nog in de buurt was – lieten hem tegenwoordig met rust. Thuis had George nu een computer dus kon hij allerlei interessante dingen opzoeken voor zijn huiswerk of over wetenschap, want dat vond hij steeds interessanter. Hij kon ook mailtjes naar zijn vrienden sturen. Hij keek vaak op websites over de ruimte en las alles over de nieuwste ontdekkingen. Hij vond het geweldig om naar de foto's te kijken die door ruimtetelescopen zoals de ruimtetele-scoop Hubble waren gemaakt en hij las de verslagen van astronauten.

Dit was allemaal heel leuk, maar toch was het niet het-zelfde als toen Annie en haar ouders er nog waren, met wie hij zijn ontdekkingen kon delen. Elke avond keek George met zijn telescoop naar de hemel in de hoop dat hij een vallende ster zag. Dat zou een soort teken zijn dat zijn kosmische avonturen nog niet voorbij waren. Maar hij zag er nooit een.

Op een dag, net toen hij de hoop wilde opgeven, kreeg hij een heel verrassend bericht van Annie. Hij had haar

heel vaak geschreven en hij had warrige berichten terug-
gekregen met lange, saaie verhalen over kinderen die hij
toch niet kende. Maar dit bericht was anders. Er stond:

George, papa en mama hebben jouw ouders geschreven of je in de vakantie hier mag komen. JE MOET
KOMEN! *The fact is*: ik heb je nodig. Ik heb een
kosmische missie. Wees geen lafbek!

   Je hebt niks aan die domme volwassenen, dus
vertel niets aan je ouders over onze ruimteavonturen. Zelfs mijn vader zegt NEE, dus dit is een
serieuze zaak. Doe dus net alsof dit een gewone
vakantie is. RUIMTEVAARTPAKKEN HANGEN KLAAR. TOT IN
HET HEELAL, Axxx.

George schreef haar direct terug:

Wat?? Wanneer?? Waar??

Maar haar antwoord was kort:

Kan op dit moment niets meer zeggen. Pak je spullen in. Overval een bank voor een ticket en kom
hiernaartoe. Axx.

George bleef geschokt zitten en staarde naar het scherm.
Hij wilde niets liever dan zijn tas inpakken en Annie en
haar ouders in Amerika opzoeken. Hij zou onmiddellijk
gaan, ook als er geen avontuur op het programma stond.

Maar hoe? Hoe moest hij daar komen? Wat als zijn ouders nee zouden zeggen? Moest hij van huis weglopen en zich aan boord van een zeeschip verstoppen? Of stiekem in een vliegtuig sluipen als niemand keek? Hij was door een computerdeur de ruimte ingegaan terwijl dat niet mocht, maar naar Amerika gaan leek plotseling veel, veel moeilijker dan iemand uit een zwart gat vissen. Het leven op aarde... dacht hij, is veel ingewikkelder dan het leven in de ruimte.

Toen kreeg hij plotseling een idee. Oma, dacht hij, die heb ik nodig. Hij mailde haar.

```
Lieve oma. Moet naar Amerika. Ik ben door vrien-
den uitgenodigd en moet er snel naartoe. Het is
heel, heel belangrijk. Sorry. Kan het niet uit-
leggen. Kunt u me helpen?
```

Even later kwam het antwoord met een pingel binnen.

```
Ben al onderweg, George. Blijf zitten waar je
zit. Het komt allemaal in orde. Liefs, oma xx
```

En inderdaad: nog geen uur later klonk er een harde bons op de voordeur. George' vader liep naar de deur om open te doen, en op het moment dat hij dat deed, werd hij door zijn moeder opzijgeduwd. Ze zwaaide met haar stok en keek heel boos.

Zonder zoiets als 'hallo' te zeggen, zei ze streng: 'Terence, George moet naar Amerika om zijn vrienden op te zoeken.' Ze priemde met haar stok naar George' vader.

'Moeder,' zei hij met een woedende blik, 'waar bemoei jij je mee?'

'Ik versta je niet – ik ben doof, weet je nog wel?' zei ze, en ze duwde een pen en een notitieboekje in zijn handen.

'Moeder, dat weet ik heus wel,' gromde hij.

'Je moet het opschrijven!' zei oma. 'Ik versta er geen woord van. Ik heb geen idee waar je het over hebt.'

*Of George naar Florida gaat of niet, is uw zaak niet,* schreef hij in haar notitieboekje.

Oma zag George staan en knipoogde naar hem. Hij glimlachte snel terug.

Ondertussen was George' moeder uit de tuin gekomen. Ze veegde haar modderige handen aan de theedoek af. 'Dat is ook vreemd, George,' zei ze zachtjes, 'want we hebben pas vanmorgen de brief van Susan en Erik gekregen waarin ze je uitnodigen om te komen. Hoe kan oma daar nu al van weten?'

'Eh, misschien is oma helderziend?' zei George snel.

'Aha,' zei zijn moeder met een verbaasde blik in haar ogen. 'Waar het om gaat, George, is dat Erik en Susan eerst aan ons hebben gevraagd of je kon komen omdat ze jou niet wilde teleurstellen als het niet kon doorgaan. En George, het probleem is dat we niet genoeg geld hebben voor de reis.'

'Dan betaal ik het wel,' antwoordde oma scherp.

'O, dus dat verstond je wel?' zei George' vader, die nog

steeds bezig was iets in het notitieboekje te schrijven.

'Ik kan liplezen,' zei oma snel. 'Ik hoor niets. Ik ben doof. Dat weet je toch?'

*Je kunt George niet naar Amerika laten gaan. Daar heb je ook niet genoeg geld voor,* schreef George' moeder in het notitieboekje.

'Je hoeft mij niet te vertellen wat ik wel en niet kan!' zei oma. 'Ik heb potten vol geld, die heb ik allemaal onder de houten vloer verstopt. Ik heb meer dan ik ooit kan opmaken, en als jullie George niet alleen willen laten reizen, dan ga ik wel met hem mee. Ik heb vrienden in Florida die ik in geen jaren heb gezien.' Ze glimlachte naar George. 'Wat vind je daarvan, George?' vroeg ze.

Met een grote grijns op zijn gezicht knikte George naar haar, en hij knikte zo vaak dat het leek of zijn hoofd er elk moment af kon vallen. Maar toen keek hij naar zijn ouders om te zien wat zij ervan vonden. Hij kon zich niet voorstellen dat zij het hiermee eens waren. Vooral niet omdat hij met een vliegtuig zou moeten reizen. Dat was iets waar zijn vader en moeder – in theorie – erg tegen waren.

Oma had hier gelukkig al over nagedacht. 'Weet je,' zei ze luchtigjes, 'ik zie niet in waarom alleen George en ik weg zouden gaan. Terence, Daisy en jij zijn al in geen jaren weg geweest. Er moet toch een plek zijn waar jullie graag naartoe willen gaan? Ergens waar jullie iets goeds kunnen doen, waar jullie echt iets kunnen bereiken, als jullie de tijd en het geld maar hadden om te gaan?'

George' vader hapte naar lucht en George begreep dat zijn slimme oma iets had gezegd wat zijn vader recht in het hart raakte.

'Is er nou niets wat je heel graag zou willen doen?' drong ze aan.

Haar zoon keek niet langer boos, eerder hoopvol. 'Weet je,' zei hij tegen George' moeder, 'als George in de zomervakantie naar Florida zou gaan en moeder zou ons helpen met de kosten voor de tickets, dan zouden wij die ene reis kunnen maken: die ecoreis naar de eilanden in de Stille Oceaan.'

George' moeder keek bedachtzaam. 'Dat zou kunnen,' mijmerde ze. 'Ik weet zeker dat Erik en Susan goed voor George zouden zorgen.'

'Perfect!' riep oma hard, om de afspraak vast te leggen voordat iemand zich kon bedenken. 'We hebben een plan. George gaat naar Florida en jullie kunnen op vakantie, ik bedoel: de wereld redden,' verbeterde ze zich snel. 'Ik betaal voor iedereen de tickets en dan gaan we.'

George' vader schudde zijn hoofd. 'Soms denk ik weleens dat je alleen hoort wat je wilt horen.'

Oma lachte spijtig en wees naar haar oren. 'Daar verstond ik niets van,' zei ze stellig. 'Geen woord.'

George voelde een lach opborrelen. Dankzij oma zou hij naar Amerika gaan! Waar Annie op hem wachtte met nieuws over haar laatste ontdekking. Hij voelde zich een beetje schuldig tegenover zijn vader en moeder. Zij dachten dat hij gewoon veilig en rustig op vakantie ging naar een ander land. Hij kende Annie echter goed genoeg om te weten dat het allesbehalve veilig en rustig zou zijn. En ze had het in haar bericht over ruimtepakken gehad: die pakken die je aantrok als je door de ruimte ging reizen. Dat betekende dus dat ze een geheim had ontdekt dat iets met de ruimte te maken had en dat ze nog een keer met hem door het heelal wilde reizen. Hij hield zijn adem in en wachtte tot zijn moeder iets zou zeggen.

'Goed dan,' zei ze na een vreselijk lange stilte. 'Als oma jou naar Florida brengt en Susan en Erik klaarstaan zodra het vliegtuig landt en ze de hele tijd goed op je zullen letten, dan denk ik dat ik niets anders kan zeggen dan: ja.'

'Já!' riep George en hij maakte een sprong in de lucht. 'Bedankt, mam. Bedankt, pap. Bedankt, oma. Ik kan maar beter mijn spullen in gaan pakken!' En na die woorden ging hij er als een wervelwind vandoor.

Zelf je koffer inpakken om op reis te gaan was veel leuker dan toekijken hoe andere mensen hun spullen inpakten. George had geen idee wat hij mee moest nemen en dus vlogen de spullen door de lucht en maakte hij er een ontzettende rotzooi van.

Hij wist niet veel over Amerika: bij vrienden had hij weleens Amerikaanse televisieshows gezien, maar daar had hij niet veel aan. Wat had je in Florida nodig? Een skateboard? Stoere kleren? Die had hij helemaal niet. Hij pakte een paar boeken in en wat kleren en hij stopte zijn dierbare exemplaar van *Reisgids voor de ruimte* in zijn schooltas. Die zou hij als handbagage meenemen in het vliegtuig. Als astronauten een ruimtevaart gingen maken, namen ze alleen een paar extra kleren mee en wat chocolade, wist George. Maar astronauten gingen met een ruimteschip op reis en hij betwijfelde of Annie dat voor elkaar had weten te krijgen.

Terwijl George zich klaarmaakte voor vertrek, deden zijn ouders dat ook. Zij hadden besloten om tijdens zijn vakantie op een ecomissie te gaan. Ze zouden met een boot naar een paar eilanden in de Stille Oceaan gaan waar mensen woonden wiens leven bedreigd werd door het zeewater dat steeds hoger kwam te staan. 'We zullen zo vaak mogelijk contact met je opnemen, voor zover dat kan als je op een zinkend eiland zit. We zullen bellen en mailen,' zei George' vader tegen hem. 'Om te vragen hoe het met je gaat. Erik en Susan hebben beloofd goed op je te letten. En oma...' zuchtte hij, 'zit vlak bij je als je haar nodig hebt.' Zelfs het varken Freddie ging op vakantie. Hij zou de zomer doorbrengen op een kinderboerderij in de buurt.

George kon de nacht voor zijn vertrek niet slapen. Hij zou zijn vriendinnetje in Amerika opzoeken en heel, heel misschien zou hij weer een reis door de ruimte kunnen maken. Hij was wel al een keer door het zonnestelsel gevlogen, maar hij had nog nooit in een vliegtuig gezeten. Dat deel van de reis was dus al heel spannend. De vorige keer was hij heel ver weg geweest, in de kosmische ruimte, maar nu zou hij binnen de atmosfeer van de aarde blijven. Hij zou door dat deel reizen waar de lucht nog blauw was. Daarbuiten was het pikkedonker.

Vanuit het vliegtuigraampje keek hij naar de dikke, witte wolken onder hem. Boven kon hij de zon zien, de ster in het midden van ons zonnestelsel, die warmte en energie uitstraalde. Onder hem was zijn planeet, waar hij af en toe tussen de wolken door iets van kon zien. Oma lag bijna de hele reis te slapen en knorde af en toe een beetje, net als Freddie als die lag te doezelen. Terwijl zij sliep, haalde George zijn *Reisgids voor de ruimte* tevoorschijn en las over een ander soort reis: een reis door het hele universum.

# Een reis door het heelal

We gaan een reis door het heelal maken. Voordat we vertrekken, moeten we begrijpen wat we met 'reis' bedoelen en met 'heelal'. Het woord 'heelal' betekent letterlijk 'alles wat bestaat'. De geschiedenis van de astronomie kan echter gezien worden als een opeenvolging van stappen en bij elke stap bleek het heelal groter te zijn. Wat we dus onder 'alles' verstaan is steeds veranderd.

Tegenwoordig accepteren de meeste wetenschappers de theorie van de oerknal: volgens deze theorie ontstond het heelal bijna 14 miljard jaar geleden vanuit een enorm grote dichtheid. Dat betekent dat we niet verder kunnen kijken dan de afstand die het licht sinds de oerknal heeft afgelegd. Dit geeft de grens aan van het waarneembare heelal.

En wat bedoelen we met 'reis'? Eerst moeten we onderscheid maken tussen 'naar het heelal kijken' en 'door het heelal reizen'. Astronomen kijken naar het heelal en, zoals we zullen zien, betekent dit dat ze kijken naar de geschiedenis van het heelal. Astronauten reizen door het heelal en reizen betekent dat ze het heelal ingaan. Dit is echter ook een ander soort reis, want als we vanaf de aarde naar de verste hoeken van het waarneembare heelal reizen, maken we ook een reis door de geschiedenis van hoe mensen over de grootte van het heelal dachten. We zullen hieronder de drie soorten reizen bespreken.

## Een reis door de tijd

De informatie die wetenschappers krijgen, is afkomstig van elektromagnetische golven die zich verplaatsen met de snelheid van het licht (bijna 300.000 kilometer per seconde). Dit is heel erg snel, maar het is eindig en astronomen meten de afstand meestal aan de hand van de lichtsnelheid. Het licht van de zon doet er bijvoorbeeld een paar minuten over om ons te bereiken, maar het duurt jaren voordat het licht van een ster ons bereikt en het licht van het dichtstbijzijnde sterrenstelsel (Andromeda) doet er miljoenen jaren over en het licht van de verste melkwegstelsels doet er zelfs miljarden jaren over.

Dit betekent dat hoe groter de afstand is van iets waarnaar we kijken, hoe verder we terug in de tijd kijken. Als we bijvoorbeeld naar een sterrenstelsel kijken dat tien miljoen lichtjaren van ons verwijderd is, dan zien we dat zoals het tien miljoen jaar geleden was. Een reis door het heelal is op deze manier dus niet alleen een reis door de ruimte, maar ook een reis door de tijd: helemaal terug tot aan de oerknal zelf.

We kunnen niet echt helemaal terugkijken tot aan de oerknal. Het vroege heelal was zo heet dat er een dikke mist ontstond van kleine deeltjes waar we niet doorheen kunnen kijken. Terwijl het heelal uitdijde, werd het minder warm en ongeveer 400.000 jaar geleden verdween de mist. Aan de hand van theorieën kunnen we echter wel bedenken hoe het heelal er voor die tijd moet hebben uitgezien. Hoe verder we teruggaan, hoe hoger de temperatuur is en hoe dichter de mist is. Ons vermoeden over hoe het heelal er toen uitzag, is daarom vooral gebaseerd op onze theorieën van de deeltjesfysica, maar we hebben een vrij duidelijk beeld van de geschiedenis van het heelal.

Je zou verwachten dat onze reis terug in de tijd eindigt bij de oerknal. Wetenschappers proberen nu echter ook de omstandigheden van het ontstaan zelf te begrijpen en elk mechanisme dat ons heelal heeft doen ontstaan kan in principe ook andere universums voortbrengen. Sommige mensen denken bijvoorbeeld dat het heelal stadia doormaakt waarin het uitdijt en weer instort. Dit zou betekenen dat er achtereenvolgend verschillende universums bestaan kunnen hebben. Anderen denken dat ons universum slechts een van de vele 'luchtbellen' is die er in het heelal bestaan. Dit zijn varianten van het idee dat er meerdere universums bestaan en dat we dus zouden moeten spreken over het multiversum.

## Een reis door de ruimte

Door de ruimte reizen is vooral zo'n grote uitdaging door de tijd die ervoor nodig is. Volgens Einsteins relativiteitstheorie (1905) kan geen enkel ruimteschip sneller gaan dan de snelheid van het licht. Dat betekent dat je minstens honderdduizend jaar nodig zou hebben om naar de andere kant van ons Melkwegstelsel te gaan en zeker tien miljard jaar om naar de andere kant van het heelal te reizen, tenminste: gezien door iemand vanaf de aarde. De 'relativiteit' in Einsteins theorie houdt echter ook in dat de tijd langzamer gaat voor waarnemers die bewegen, dus de reis kan voor de astronauten zelf veel sneller gaan. Sterker nog, als we met de snelheid van het licht zouden kunnen reizen, dan zou er helemaal geen tijd verstrijken!

We hebben geen ruimteschip dat met de snelheid van het licht kan reizen, maar we kunnen wel steeds sneller gaan zodat we de maximumsnelheid steeds meer benaderen. De tijdsbeleving zou dan veel korter zijn dan die op aarde. Als men bijvoorbeeld door het heelal zou schieten met dezelfde versnelling waarmee iets valt door de aantrekkingskracht op aarde, dan zou een reis door het Melkwegstelsel maar dertig jaar duren. In theorie kun je dan dus naar de aarde terugkeren voordat je leven voorbij is. Al je vrienden op aarde zouden dan echter al lang zijn overleden. Als men voorbij het Melkwegstelsel zou blijven versnellen, dan zou men in principe zelfs binnen een eeuw naar het uiteinde van het waarneembare heelal kunnen reizen!
Einsteins algemene relativiteitstheorie (1915) biedt zelfs nog meer spannende mogelijkheden. Astronauten kunnen op een dag misschien wel gebruikmaken van wormgaten of warpsnelheid, net zoals in *Star Trek* en andere populaire science-fictionseries. Hierdoor gaat het reizen nog sneller en kun je

weer thuiskomen voordat je vrienden overleden zijn. Dit is allemaal echter heel onzeker.

## Een reis door de geschiedenis van opvattingen

Volgens de oude Grieken was de aarde het middelpunt van het heelal en waren de planeten, de zon en de sterren relatief dichtbij. Deze geocentrische opvatting (geos = aarde) werd in de zestiende eeuw verworpen. In die tijd toonde Copernicus aan dat de aarde en de andere planeten rond de zon draaiden (helios). Deze heliocentrische opvatting hield echter niet lang stand. Enkele tientallen jaren later vond Galileo de telescoop uit en daarmee kon hij bewijzen dat de Melkweg – die men daarvoor alleen had gezien als een lichtgevende band aan de hemel – uit een heleboel sterren zoals de zon bestond. Hierdoor werd niet alleen de status van de zon minder belangrijk, het waarneembare heelal werd ook groter.

In de achttiende eeuw was iedereen er wel van overtuigd dat onze Melkweg een platte schijf van sterren is die bijeen wordt gehouden door de zwaartekracht. Men dacht echter dat het heelal niet groter was dan ons Melkwegstelsel en deze galactocentrische opvatting bleef tot in de twintigste eeuw bestaan. Tot Edwin Hubble 1924 de afstand kon meten tussen de aarde en ons dichtstbijzijnde sterrenstelsel (Andromeda) en aantoonde dat dit zich buiten onze Melkweg moest bevinden. Dit was een nieuwe stap waardoor onze opvatting van de grootte van het heelal opnieuw veranderde!

Binnen een paar jaar had Hubble gegevens verzameld over verschillende sterrenstelsels en hieruit bleek dat die zich allemaal van ons verwijderen. De snelheid waarmee dit gaat, hangt af van de afstand. Hoe verder een sterrenstelsel ligt, hoe sneller het zich van ons verwijdert. De eenvoudigste verklaring hiervoor is dat het heelal uitdijt. Denk maar aan een ballon waarop de sterrenstelsels zijn getekend en die steeds groter wordt.

Het uitdijen van het heelal werd omschreven als de Wet van Hubble en die wet bleek van toepassing te zijn op afstanden van tientallen miljarden lichtjaren: een gebied met honderden miljarden sterrenstelsels. Weer bleek het heelal groter te zijn dan mensen dachten.

Volgens de kosmoscentrische opvatting kan het heelal niet nóg groter blijken te zijn. Dit komt doordat de Wet van Hubble inhoudt dat hoe meer je teruggaat in de tijd, hoe dichter de sterrenstelsels bij elkaar komen te staan, tot ze uiteindelijk samensmelten.

Tot dan neemt de dichtheid alleen maar toe, tot aan de oerknal 14 miljard jaar geleden – en we kunnen nooit verder terugkijken dan de afstand die het licht vanaf dat moment heeft afgelegd. Toch heeft men onlangs een interessante waarneming gedaan. Alhoewel men zou verwachten dat het uitdijen van het heelal door de zwaartekracht steeds langzamer gaat, wijzen nieuwe waarnemingen erop dat het juist sneller gaat. Ons waarneembare heelal maakt misschien wel deel uit van een grotere 'luchtbel'. En deze luchtbel zou ook weer deel kunnen uitmaken van een nog grotere luchtbel, volgens de theorie van het multiversum!

## De volgende stap

Het eindpunt van de drie reizen die we hebben gemaakt – de eerste terug in de tijd, de tweede door de ruimte en de derde door de geschiedenis van opvattingen – is steeds hetzelfde: onwaarneembare universums waar we alleen met behulp van theorieën een glimp van kunnen opvangen en die we alleen in onze gedachten kunnen bezoeken.

Ik ben heel benieuwd wat de astronauten van morgen zullen ontdekken...

Bernard

GEORGE

Toen het vliegtuig was geland,
gingen George en oma in de rij
voor de douane staan. Erik en Annie
wachtten hen op in de aankomsthal.
Zodra Annie hen aan de andere kant
van het hek zag, begon ze te gillen en
op en neer te springen.

'George!' brulde ze. 'George!'
Ze dook onder het hek door en greep
hem beet. Ze was langer en bruiner dan
hij zich herinnerde. Ze sloeg haar armen om hem heen
en fluisterde in zijn oor: 'Ik ben zó blij dat je er bent. Ik
kan nu niks zeggen, maar het is een spoedgeval. Denk
erom, sssst! Je mond houden.' Ze pakte zijn koffer en
sleepte die achter zich aan naar Erik. Oma en George
volgden haar.

George schrok toen hij Erik zag. Hij zag er heel moe uit
en zijn haar was grijzer geworden, maar toen hij George
zag, lachte hij als vanouds en begon hij te glunderen.

Ze wisselden hallo's uit en oma schudde handen met
Erik en vroeg hem in haar notitieboekje te schrijven.
Daarna gaf ze hem een envelop waarop stond: GEORGE'
NOODFONDS. Toen gaf ze George een knuffel, grijnsde
naar Annie en liep weg om haar vrienden te begroeten
die naar het vliegveld waren gekomen om haar op te
halen. 'Een stelletje makkers van vroeger die in de buurt
van Erik en Susan wonen,' had ze tegen George gezegd.
'Mooi moment om herinneringen op te halen aan de tijd
dat we nog jong en wild waren.'

Laika, het eerste dier dat levend in een baan rond de aarde cirkelde.

Lancering van het eerste bemande Amerikaanse ruimtevaartschip, mei 1961.

Yuri Gagarin.

Lancering van het Russische ruimtevaartschip, Vostok I, met aan boord Yuri Gagarin, april 1961.

© NASA/SCIENCE PHOTO LIBRARY

Gemini rendez-vous; het ruimtevaartschip Gemini VI
gefotografeerd vanaf Gemini VII, december 1965.

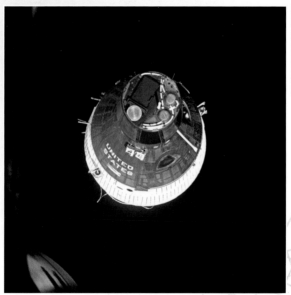

© NASA/SCIENCE PHOTO LIBRARY

Het ruimtevaartschip Gemini VII gefotografeerd vanaf
Gemini VI, december 1965.

EVA: een ruimtewandeling vanuit het moederschip.

Voetafdruk van Neil Armstrongs eerste stap op
de maan, 20 juli 1969.

Buzz Aldrin van de Apollo II loopt op de maan.

Astronaut James B. Irwin en de maanwagen Apollo 15, juli 1971.

Boven: simulator van een spaceshuttlecockpit, 1999.

Eerste lancering van een spaceshuttle in 1981. De shuttle werd Columbia genoemd.

Een zwevende astronaut in het internationaal ruimtestation (ISS).

Onder: ISS-astronaut met fruit in een omgeving met microzwaartekracht.

© NASA/SCIENCE PHOTO LIBRARY

Astronauten maken hamburgers aan boord van het ISS.

Het ISS met nieuwe zonnepanelen, 2006.

Beeld van een Russisch Soyuz-ruimteschip gefotografeerd vanuit een Amerikaanse spaceshuttle.

Boven: SpaceShipOne die vanuit een baan rond de aarde de atmosfeer weer binnenkomt.

Computercompilatie van SpaceShipOne, een particulier ruimtevaartschip dat in juni 2004 met succes werd gelanceerd.

De mensen die oma kwamen ophalen waren echter zo oud en slecht ter been dat George zich niet kon voorstellen dat ze ooit jong waren geweest, laat staan wild. Oma waggelde samen met hen richting de uitgang en toen hij haar in de verte zag verdwijnen, kreeg hij een vreemd gevoel in zijn maag. Alles in Amerika leek groter en glimmender – alles was drukker en luider dan thuis. Hij voelde een vlaag heimwee, maar niet lang.

Een klein jongetje met een grote bril en een vreemd kapsel kwam achter Eriks rug vandaan.

'Gegroet, George,' zei hij ernstig. 'Annie...' – hij wierp haar een minachtende blik toe – 'heeft me alles over je verteld. Ik heb zeer naar deze ontmoeting uitgezien. Je lijkt me een bijzonder interessant iemand.'

'Hou je mond, Emmett,' zei Annie streng. 'George is míjn vriend en hij is hier voor míj, niet voor jou.'

'George, dit is Emmett,' zei Erik rustig terwijl Annie

Emmett ←

Emmett een kwade blik toewierp en Emmett met een strakke mond de andere kant op keek. 'Hij is de zoon van een goede vriend van me. Emmett logeert deze zomer bij ons.'

'En hij is een aartsvijand,' fluisterde Annie in George' oor.

Emmett sloop achter hem langs en fluisterde iets in zijn andere oor. 'Dit wezen is totaal geschift.'

'Zoals je misschien in de gaten hebt,' ging Erik op luchtige toon verder, 'kunnen die twee niet zo goed met elkaar overweg.'

'Ik had tegen hem gezegd dat hij niet aan mijn kungfupop mocht komen!' Annie explodeerde. 'En nu praat die alleen nog Klingon.'

'Ik had haar niet gevraagd om mijn haar te knippen,' blèrde Emmett. 'En nu zie ik er belachelijk uit.'

'Daarvoor zag je er ook al belachelijk uit,' mompelde Annie.

'Je kan beter Klingon spreken dan alleen maar onzin, zoals jij,' kaatste Emmett terug. Zijn grote ogen, die door zijn dikke brillenglazen nog groter leken, begonnen te glimmen.

'George heeft een lange reis achter de rug,' zei Erik. 'Dus we gaan nu naar de auto en we rijden naar huis en iedereen doet aardig tegen elkaar. Hebben jullie me begrepen?' Hij klonk behoorlijk streng.

'Ja, Erik,' zei George.

'Maak je niet druk, George,' zei Erik. 'Jij bent altijd aardig. Ik heb het tegen die andere twee.'

## 4

Ze reden naar het grote, witte, houten huis waar Annie en haar ouders nu woonden. De zon scheen fel aan de helderblauwe hemel en toen George uit de auto stapte, sloeg de hitte hem in zijn gezicht. Annie klom achter hem de auto uit. 'Kom op,' zei ze terwijl Erik George' koffer uit de achterbak haalde. 'We moeten aan de slag. Loop maar mee.' Ze bracht hem naar de achterkant van het huis waar een hoge boom stond. In de schaduw van de boom was een veranda met een tafel en stoelen.

'Klim naar boven,' zei Annie. 'Het is de enige plek waar we kunnen praten.' Ze klom op een van de lagere takken. George klauterde langzaam achter haar aan. Susan was naar buiten gekomen en stond met een dienblad op de veranda. Ze keek naar Annie en George. Emmett stond vlak naast haar.

'Hallo George!' riep ze naar boven. 'Leuk om je weer te zien! Ook al kan ik je niet echt zien.'

'Hallo Susan,' riep George terug. 'Wat leuk dat ik hier mag logeren.'

'Annie, denk je niet dat George liever even wil uitrusten? Misschien wil hij wel wat eten en drinken na zo'n lange reis?'

'Geef maar,' zei Annie, en ze stak haar hoofd door de droge, groene en witte bladeren heen, liet haar arm zakken en pakte een pakje sinaasappelsap van het dienblad

en een hand vol koekjes, die ze aan George gaf. 'Oké, zo redden we het voorlopig wel,' jubelde ze. 'Dag, andere mensen, jullie kunnen gaan.'

Emmett bleef bedremmeld staan en keek naar boven.

'Mag Emmett ook naar boven komen om bij jullie te zitten?' vroeg Susan.

'Geen goed idee,' zei Annie. 'Straks valt hij nog van een tak en beschadigt hij zijn laatste hersencel. Hij kan maar beter beneden blijven. Ciao, jongens! George en ik hebben veel te bespreken.'

Vanuit de boom hoorden ze Susan zuchten. 'Kom hier maar zitten,' zei ze tegen Emmett, en ze zette een stoel onder de takken. 'Ze komen zo vast wel weer beneden.'

Emmett maakte een snotterend geluid en ze hoorden dat Susan hem troostte.

'Let maar niet op hem. Hij is een huilebalk,' fluisterde Annie tegen George. 'En geen medelijden met hem krijgen. Dat is levensgevaarlijk. Zodra je je zwak opstelt, slaat hij toe. Ik kreeg de eerste keer toen hij huilde ook medelijden met hem en toen beet hij me. Mijn moeder is een slappeling – zij kan het gewoon niet aanzien.'

Ze hoorden Susans voetstappen verdwijnen in het huis.

'Oké, hou die tak vast,' beval Annie. 'Voor het geval je flauwvalt als je hoort wat ik je te vertellen heb.'

'Wat dan?' vroeg George.

'Groot nieuws,' zei Annie. 'Zo geweldig groot-groot dat je broek van verbazing van je kont zakt.' Ze keek hem met grote ogen aan.

'Vertel op dan,' zei George ongeduldig.

'Beloof je dat je niet zult denken dat ik een weirdo ben geworden?'

'Eh... ik vond je al behoorlijk raar,' gaf George toe. 'Dus dat maakt niet veel uit.'

Annie gaf hem met haar vrije hand een mep.

'Au!' zei hij lachend. 'Dat deed pijn.'

'George, gaat het?' klonk een piepstemmetje van beneden. 'Heb je de hulp van een afvallige nodig? Ze kan echt heel gemeen zijn.'

'Hou je mond, Emmett,' riep Annie naar beneden. 'En hou op met afluisteren.'

'Ik wil jullie niet eens horen!' klonk zijn klagerige stem. 'Kan ik er iets aan doen dat jullie een stroom nutteloze vibraties de atmosfeer in sturen.'

'Ga dan ergens anders zitten!' schreeuwde Annie.

'Nee!' zei Emmett koppig. 'Ik blijf hier voor het geval George mijn superintelligente hulp nodig heeft. Ik wil niet dat hij zijn bandbreedte verspilt aan jouw grove communicatie.'

Annie rolde met haar ogen en zuchtte. Ze schoof over de tak naar George toe en fluisterde in zijn oor: 'Ik heb een bericht ontvangen van buitenaardse wezens.'

'Buitenaardse wezens!' zei George hardop. Hij vergat helemaal dat Emmett onder hen zat. 'Heb je een bericht van buitenaardse wezens gekregen?'

'Ssst!' zei Annie kwaad. Maar het was al te laat.

'Denkt het vrouwelijke menswezen nou echt dat een levensvorm dat slim genoeg is om een bericht door de ruimte te kunnen sturen, haar als ontvanger zou uitkiezen?' zei Emmett. 'En trouwens: er bestaan helemaal geen buitenaardse wezens. Er is tot nu toe geen enkel bewijs gevonden voor een andere intelligente levensvorm in de ruimte. We kunnen alleen berekenen hoe groot de kans is dat de omstandigheden op andere planeten geschikt zijn voor extremofiele bacteriën. Die zouden waarschijnlijk een even laag IQ hebben als Annie. Of misschien zelfs iets hoger. Als je wilt kan ik het met de vergelijking van Drake voor je uitrekenen?'

# DE VERGELIJKING VAN DRAKE

De vergelijking van Drake is niet echt een vergelijking; het is een serie vragen waarmee we kunnen inschatten hoeveel intelligente beschavingen er in ons melkwegstelsel voorkomen. Dr. Frank Drake van het SETI-instituut stelde de formule in 1961 op en wetenschappers gebruiken de formule tot op de dag van vandaag.

Dit is de vergelijking van Drake:

$$N = N* \times f_p \times n_e \times f_l \times f_i \times f_c \times L$$

**$N*$** staat voor het aantal nieuwe sterren dat elk jaar in het Melkwegstelsel wordt geboren

- - - - - - - - - - - - - - - - - - - - - - - - - - - - - - - -

*Vraag:* Wat is het geboortecijfer van sterren in het Melkwegstelsel?

*Antwoord:* Ons Melkwegstelsel is ongeveer 12 miljard jaar oud en er zijn grofweg 300 miljard sterren. Om het gemiddelde uit te rekenen, delen we het aantal sterren door het aantal maanden. 300 miljard : 12 miljard = 25 sterren per jaar.

**$f_p$** is de fractie van het aantal sterren met planeten om zich heen

- - - - - - - - - - - - - - - - - - - - - - - - - - - - - - - -

*Vraag:* Wat is het percentage sterren met planetaire stelsels?

*Antwoord:* De laatste schattingen variëren van 20 tot 70 procent.

**$n_e$** is het gemiddeld aantal planeten per ster waarop leven mogelijk zou kunnen zijn.

- - - - - - - - - - - - - - - - - - - - - - - - - - - - - - - -

*Vraag:* Hoeveel van de sterren met een planetair stelsel zijn geschikt voor het ontstaan van leven?

*Antwoord:* Het aantal varieert van 0,5 tot 5.

# DE VERGELIJKING VAN DRAKE

$f_l$ staat voor het percentage van planeten in $n_e$ waarop leven is ontstaan

---

*Vraag:* Wat is het percentage planeten waarop ook daadwerkelijk leven is ontstaan?

*Antwoord:* Huidige schattingen variëren van 100 procent (daar waar leven kan ontstaan, zal het ontstaan) tot 0.

$f_i$ is het gemiddeld aantal planeten waar leven is ontstaan en waar intelligent leven is ontstaan

---

*Vraag:* Op hoeveel planeten van het aantal planeten waarop leven is ontstaan, is intelligent leven ontstaan?

*Antwoord:* Schattingen variëren van 100 procent (intelligentie heeft zo'n grote overlevingskans dat het zeker kan overleven) tot 0 procent.

$f_c$ staat voor het percentage planeten waar intelligent leven is ontstaan dat in staat is met andere planeten te communiceren (bijvoorbeeld met radiozenders)

---

*Vraag:* Hoeveel intelligente beschavingen hebben de middelen en de wens om te communiceren?

*Antwoord:* 10 tot 20 procent.

$fL$ staat voor het gemiddeld aantal jaren dat een communicerende beschaving kan communiceren

---

*Vraag:* Hoelang blijven communicerende beschavingen bestaan?

*Antwoord:* Dit is de moeilijkste vraag. Als we naar de aarde kijken: wij communiceren nog geen honderd jaar met radiogolven. Hoelang zullen wij op die manier blijven communiceren? Kan het zijn dat wij onze planeet vernietigen? Of zullen we onze problemen oplossen en zal onze planeet nog 10.000 jaar of langer bestaan?

Als we al deze schattingen met elkaar vermenigvuldigen komen we op:

**N**, het aantal communicerende beschavingen in ons Melkwegstelsel.

'Nou, dank je wel, professor Emmett,' zei Annie. 'Je Nobelprijs is onderweg. Waarom ga je dus niet je eigen extremofiele bacteriën bestuderen? Waarom zoek je je soortgenoten niet op en ga je hen lastigvallen? Weet je, George, er zijn écht buitenaardse wezens op aarde en Emmett is er een van.'

'Nee, nee, even opnieuw,' drong George aan. 'Heb je een bericht van buitenaardse wezens gekregen? Waar? Wanneer? Hoe? Wat stond erin?'

'Ze hebben haar een tekst gestuurd waarin stond dat ze haar om eenentwintig uur precies naar het moederschip zouden halen,' zei Emmett. 'Laten we het hopen.'

'Hou je mond, Emmett.' Deze keer was George degene die zich aan Emmett ergerde. 'Ik wil horen wat Annie te vertellen heeft.'

'Oké, hier is de primeur!' zei Annie. 'Let op, vrienden en *aliens*, en bereid je voor op een schok.'

Beneden omarmde Emmett de boom in een poging dichter bij hen te komen.

George lachte. 'Ik ben er klaar voor, agent Annie,' zei hij. 'Kom maar op.'

'Mijn wonderbaarlijke verhaal,' zei Annie, 'begint op een heel gewone avond. Niemand zou kunnen hebben vermoed dat we op die dag voor de eerste keer in de geschiedenis eindelijk een bericht zouden ontvangen van een buitenaardse entiteit. Ik, mijn familie en ik,' zei ze plechtig.

'En ik!' piepte Emmett van beneden.

'En hij,' voegde ze eraan toe, 'we waren net terug. We

hadden een robotlanding op Mars bekeken. Gewoon een familie-uitje. Niks bijzonders. Behalve dan dat...'

Een paar weken daarvoor waren Erik, Susan, Annie en Emmett naar het Global Space Agency gegaan om te zien hoe een nieuw type robot op de rode planeet zou landen. De robot, Homer, had er negen maanden over

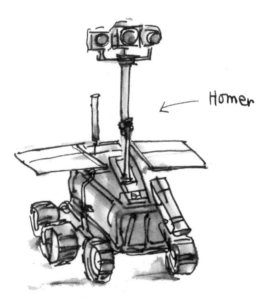

← — Homer

gedaan om 680 miljoen kilometer af te leggen. Het was de laatste robot van een serie robots die door het Agency naar Mars was gezonden om de planeet te onderzoeken. Erik keek vol spanning uit naar de landing van Homer op Mars, want de ruimtesonde had een speciale uitrusting aan boord waarmee onderzocht kon worden of er ooit een vorm van leven op onze dichtstbijzijnde planeet was geweest. Homer zou op Mars naar water zoeken; met een speciale schep kon hij door de ijzige oppervlakte graven om modder naar boven te halen die hij in een speciale oven kon bakken. Door de modder te bakken kon Homer erachter komen of er in een natter en warmer verleden op Mars, waar het nu heel koud en droog was, ooit water aanwezig was geweest.

'Waar water is,' had Erik tegen de kinderen gezegd, 'kan leven zijn!'

Wat nog belangrijker was, was dat Homer zou helpen om een nieuwe missie voor te bereiden waarbij mensen naar de planeet zouden worden gebracht. Voor de eerste keer in de geschiedenis zou het Global Space Agency een ruimtevaartschip met mensen sturen die de planeet moesten verkennen en moesten onderzoeken of het mogelijk was om daar een kolonie te stichten.

Homer was dus heel belangrijk. Niet alleen omdat hij erg duur was of omdat hij de nieuwste technologie aan boord had of omdat, zoals Annie zei: hij eruitzag alsof hij een echt karakter had, met zijn twee cameraatjes die op ogen leken, zijn rechte benen en zijn dikke buik waarin de oven zat. Nee, Homer was zo belangrijk omdat hij als eerste naar een plek in de ruimte zou gaan om te onderzoeken of er mensen konden wonen. Hij was een pionier: hij zou de eerste stap zetten in een heel nieuw ruimteonderzoek. Dat onderzoek zou ertoe kunnen leiden dat mensen op een andere planeet gingen wonen.

Op de dag van Homers vertrek naar de rode planeet hadden ze in de grote, ronde controleruimte gestaan,

# ROBOTS IN DE RUIMTE

Een ruimtesonde wordt gebruikt bij een onbemande ruimtevaart waarbij een robot het zonnestelsel in wordt gestuurd
om informatie te verzamelen over onze kosmische omgeving.
Ruimtevaartmissies door robots moeten antwoord geven op
specifieke vragen, zoals: Hoe ziet het oppervlak van Venus eruit?
Hoe hard waait het op Neptunus? Waar bestaat Jupiter uit?

Hoewel ruimtevaartmissies door robots veel minder spectaculair
zijn dan bemande ruimtevaartvluchten, zijn er verschillende
voordelen:

- Robots kunnen grote afstanden afleggen. Ze kunnen veel
  verder en sneller reizen dan welke astronaut ook. Net als
  bij bemande vluchten is er een energiebron nodig. Meestal
  wordt gebruikgemaakt van zonne-energie waarbij zonnestralen worden omgezet in energie, maar robots die verder
  weg gaan en buiten het bereik van het zonlicht komen,
  nemen hun eigen generator mee. Robots kosten echter veel
  minder energie dan bemande ruimtevluchten, aangezien er
  aan boord niet geleefd hoeft te worden.
- Robots hoeven ook geen eten en drinken mee te nemen en
  ze hebben geen zuurstof nodig om te ademen. Hierdoor zijn
  ze veel kleiner en lichter dan een bemand ruimteschip.
- Robots zullen zich onderweg niet vervelen, ze krijgen geen
  last van heimwee en ze worden niet ziek.
- Als er tijdens de missie in de ruimte iets misgaat, staan er
  geen levens op het spel.
- Ruimtesondes zijn veel goedkoper dan bemande vluchten en
  robots willen niet naar huis als de missie klaar is.

Ruimtesondes hebben de wonderen van het zonnestelsel
voor ons zichtbaar gemaakt door informatie naar de aarde te
sturen waarmee wetenschappers veel beter begrijpen hoe ons
zonnestelsel is ontstaan en hoe de omstandigheden op andere
planeten zijn. Mensen zijn tot nu toe niet verder gekomen dan
de maan – een reis van ongeveer 378.000 kilometer.

Ruimtesondes hebben al miljarden kilometers afgelegd waardoor we buitengewoon bijzondere en gedetailleerde beelden uit de verste uithoeken van het zonnestelsel kunnen bekijken. Voordat de mens op de maan landde waren er al bijna dertig ruimtesondes naartoe gegaan! Nu zijn er robotgestuurde sondes naar alle planeten van ons zonnestelsel gestuurd. Ruimtesondes hebben het stof van een kometenstaart opgevangen, zijn op Mars en Venus geland en zijn voorbij Pluto gevlogen.

Sommige ruimtesondes hebben zelfs informatie over onze planeet en het menselijke ras meegenomen. De sondes Pioneer 10 en Pioneer 11 hebben een gegraveerde plaat bij zich met een afbeelding van een man en een vrouw en een kaart waarop staat waar de sonde vandaan komt. De sondes vliegen steeds verder de ruimte in en op een dag vinden ze misschien een buitenaardse beschaving! Met de sonde Voyager gingen foto's mee van steden, landschappen en mensen op aarde en er was bovendien een groet opgenomen in heel veel verschillende talen. De kans is niet groot dat deze sondes door andere beschavingen worden gevonden, maar als dat gebeurt moet deze groet de buitenaardse wezens – als ze het bericht kunnen ontcijferen – ervan overtuigen dat we een vredelievende planeet zijn en dat we hopen dat andere wezens in ons heelal dat ook zijn.

Er zijn verschillende typen ruimtevaartsondes en welk type men gebruikt hangt af van het doel van de missie. Sommige sondes vliegen langs meerdere planeten en nemen tijdens hun lange reis foto's. Andere maken een baan om een bepaalde planeet om meer informatie over die planeet en zijn manen te verzamelen. Een ander type is speciaal ontwikkeld om te kunnen landen en gegevens over het oppervlak van die andere wereld naar de onze te sturen. Sommige zijn 'rovers'. Dit zijn karretjes die over het oppervlak kunnen bewegen. Andere blijven staan op de plek waar ze zijn geland.

# ROBOTS IN DE RUIMTE

De eerste rover, Lunokhod 1, maakte deel uit van een Russische ruimtesonde, Luna 17, die in 1970 op de maan landde. Lunokhod 1 was een robotgestuurde wagen die vanaf de aarde kon worden bestuurd, vergelijkbaar met de manier waarop je een op afstand bestuurbare auto kunt besturen.

Viking 1 en Viking 2, die door de NASA werden gestuurd, landden in 1976 op Mars en gaven ons de eerste beelden van het oppervlak van de rode planeet. Deze 'planeet van de oorlog' had mensen al duizenden jaren geïntrigeerd. De Viking-landers stuurden beelden van roodbruine vlakten met rotsblokken, de roze lucht van Mars en zelfs van vorst aan de grond. Helaas is het erg moeilijk om op Mars te landen en verschillende ruimtesondes die ernaartoe zijn gestuurd zijn op het oppervlak kapotgeslagen.

Bij latere missies naar Mars werden twee rovers gestuurd, Spirit en Opportunity. Ze werden ontworpen om ten minste drie maanden rond te rijden, maar ze bleven het veel langer doen. Bovendien vonden ze, net als andere ruimtevaartsondes die naar Mars werden gestuurd, sporen van de aanwezigheid van water. In 2007 stuurde NASA de Phoenix-missie naar Mars. Phoenix kon niet rondrijden maar hij had een robotgestuurde arm waarmee hij in de grond kon boren en monsters kon nemen. Aan boord was een laboratorium waar de grond onderzocht kon worden en gekeken kon worden wat erin zat. Mars heeft ook drie ruimtesondes die zich in een baan om de planeet bevinden: de Mars Odyssey, Mars Express en Mars Reconnaisance Orbiter. Zij sturen ons detailopnamen van het oppervlak.

Robotgestuurde ruimtesondes hebben ons ook de extreme toestand laten zien onder de dikke atmosfeer van Venus. Vroeger dacht men nog dat zich onder het Venusiaanse wolkendek een heel dicht tropisch oerwoud kon bevinden. Ruimtesondes hebben echter aangetoond dat er sprake is van extreem hoge temperaturen, een dichte atmosfeer die bestaat uit koolstofdioxide en donkerbruine wolken van zwavelzuur. In 1990 ging NASA's Magellan de orbit rond Venus binnen. Met behulp van een radar kon hij door de atmosfeer heen het oppervlak van Venus in kaart brengen. Er werden 167 vulkanen zichtbaar met een doorsnede van soms wel 112 kilometer! ESA's Venus Express draait sinds 2006 in een baan rond Venus. Het doel van de missie is om de atmosfeer van Venus te bestuderen en om erachter te komen hoe het mogelijk is dat Venus en onze aarde zich zo anders hebben kunnen ontwikkelen. Verschillende landers hebben ons informatie over het oppervlak van Venus gestuurd en gezien de helse situatie op de planeet is het een geweldige prestatie dat de sondes hebben kunnen landen.

Robotgestuurde sondes zijn zelfs naar de verdorde wereld van Mercurius gegaan, een planeet die zich nog dichter bij de zon bevindt. Mariner 10, die in 1974 en in 1975 naar Mercurius vloog, heeft ons laten zien dat deze kleine, kale planeet erg op onze maan lijkt. Het is een grijze, doodse planeet met heel weinig atmosfeer. In 2008 ging er tijdens de Messenger-missie opnieuw een sonde naar Mercurius en ontvingen we voor het eerst sinds dertig jaar weer beelden van de planeet die het dichtst bij de zon ligt.

In de buurt van de zon vliegen is een enorme uitdaging voor een robotgestuurde ruimtesonde, maar de sondes die naar de zon zijn gestuurd – Helios 1, Helios 2, SOHO, TRACE, RHESSI en andere – hebben informatie doorgegeven waardoor wetenschappers veel meer begrepen van de ster in het midden van ons zonnestelsel.

# ROBOTS IN DE RUIMTE

Jupiter ligt verder weg en kon voor het eerst tot in detail worden bekeken toen de sonde Pioneer 10 er in 1973 naartoe vloog. Beelden die door Pioneer 10 zijn gemaakt lieten de grote rode vlek zien – een verschijnsel dat men eeuwenlang met een telescoop vanaf de aarde had gezien. Na de Pioneer brachten de Voyager-ruimtesondes verbazingwekkend nieuws over de manen van Jupiter. Dankzij de Voyagers weten wetenschappers nu dat de manen van Jupiter allemaal verschillend zijn. In 1995 arriveerde de sonde Galileo op Jupiter en hij zou acht jaar blijven om de gasreus en zijn manen te onderzoeken. Galileo was de eerste ruimtesonde die langs een asteroïde vloog, de eerste sonde die een asteroïde met een maan ontdekte en de eerste die gedurende lange tijd metingen op Jupiter verrichtte. Deze geweldige ruimtesonde bracht ook de vulkanische activiteit op Jupiters maan, Io, in beeld en ontdekte dat de andere maan van Jupiter, Europa, onder een dikke laag ijs ligt. Daaronder zou een grote oceaan kunnen liggen waar zelfs een vorm van leven zou kunnen voorkomen!

NASA's Cassini was niet de eerste sonde die een bezoek bracht aan Saturnus: Pioneer 11 en de Voyager-sondes waren er tijdens hun lange reizen al langs gevlogen en hadden gedetailleerde beelden naar de aarde gestuurd van de ringen van Saturnus en informatie over de dikke atmosfeer op Titan. Toen Cassini echter in 2004 na een reis van zeven jaar op deze planeet landde, kon hij ons veel meer informatie geven over de kenmerken van Saturnus en de manen die er in een baan omheen draaien. Cassini bracht ook een hulpsonde mee, ESA's Huygens, die door de dikke atmosfeer afdaalde om op het oppervlak van Titan te landen. De hulpsonde ontdekte dat er op het oppervlak van Titan een laag waterijs ligt en dat er regen van methaan voorkomt.

Nog verder van de aarde ligt Uranus. Voyager 2 vloog ernaartoe en stuurde ons beelden van deze bevroren planeet met zijn gekantelde as! Dankzij Voyager 2 weten we ook veel meer over de zwakke ringen rond Uranus, die heel anders zijn dan de ringen rond Saturnus. Dit geldt overigens voor meer kenmerken van zijn manen. Voyager 2 reisde verder naar Neptunus en ontdekte dat het op deze planeet heel erg hard waait: op Neptunus komen stormen voor met de hoogste windsnelheden die ooit in ons zonnestelsel zijn gemeten. Voyager 2 is nu ruim 16 miljard kilometer van de aarde verwijderd en Voyager 1 is ruim 17 miljard kilometer ver weg. Tot het jaar 2020 zouden ze in staat moeten zijn om contact met ons te houden.

De Stardust-missie – een sonde die deeltjes uit een kome-tenstaart heeft weten op te vangen en in 2006 terugkeerde naar de aarde – heeft ons heel veel geleerd over deze deeltjes uit het vroege stadium van ons zonnestelsel. Het vangen van deze deeltjes van kometen – die in het midden van ons zonnestelsel zijn gevormd, maar die helemaal naar de uiterste hoeken zijn gereisd – heeft wetenschappers veel inzicht gegeven in het ontstaan van het zonnestelsel zelf.

die vol stond met rijen computers en mensen die ongeduldig naar de informatie op de schermen keken. Terwijl
Homer onderweg was, stuurde hij signalen naar de aarde
met voortgangsrapporten. Die kwamen in codes bij het
Global Space Agency binnen en de computers op aarde
zetten de codes om in woorden en beelden. Het duurde
even voordat Homers signalen de aarde bereikten en
daardoor hadden ze in de controleruimte nu pas door
wat er op Mars gebeurde. Was Homer geland of was hij
neergestort? Daar zouden ze nu achter komen.

Op de grote schermen aan de wand zagen Annie en
Emmett een filmpje van wat er gebeurde op het moment

dat Homer Mars naderde. De sfeer in de controleruimte was geladen. Groepjes mensen stonden zenuwachtig te kijken en hoopten dat het begin van de missie goed was verlopen.

Het is heel moeilijk om op Mars te landen, had Erik uitgelegd. Mars heeft een ijle atmosfeer waardoor het niet dezelfde remmende werking op een ruimtevaartuig heeft als de atmosfeer op aarde. Dit betekende dat Homer met grote snelheid richting het oppervlak van Mars zou tuimelen en men kon nu alleen nog maar hopen dat de apparatuur – die ervoor moest zorgen dat hij vaart minderde – zou werken. Zo niet, dan zou hij met een duizelingwekkende vaart kapotslaan en eindigen als een hoopje onderdelen ergens ver weg in de ruimte waar niemand hem kon repareren.

Toen Homer de atmosfeer van Mars naderde zat iedereen aan het scherm gekluisterd. Aan de ene kant van de controleruimte was een digitale klok die aangaf hoeveel tijd er was verstreken vanaf het moment dat Homer zich in de ruimte bevond. Daarnaast werd de UTC aangegeven: de standaardtijd die door alle ruimtevaartcentra werd gebruikt om elkaars handelingen en de missies in de ruimte op elkaar af te stemmen.

'We kunnen nu de EDL bekijken,' verkondigde een ernstig kijkende man met een koptelefoon op.

'Wat betekent dat?' vroeg Annie.

'*Entry, descent en landing:* aankomst, daling en landing,' legde Emmett op een belerend toontje uit. 'Tss, Annie, ik had verwacht dat je je wel zou hebben voorbereid voordat we hiernaartoe gingen, zodat je alles zou begrijpen wat er gebeurt.'

Als antwoord trapte Annie hard op Emmetts voet.

'Au! Au! Susan!' gilde hij. 'Ze doet me weer pijn!'

Susan wierp haar dochter een boze blik toe. Annie liep stilletjes bij Emmett vandaan en ging naast haar vader staan. Ze liet haar hand in die van hem glijden. Erik beet op zijn lip en fronste.

'Denk je dat Homer is geland?' fluisterde Annie.

'Ik hoop het,' zei hij terwijl hij glimlachend op haar neer keek. 'Ik bedoel, Homer is maar een robot, maar hij kan ons informatie sturen waar we heel veel aan hebben.'

'Aankomst in de atmosfeer!' zei de vluchtleider.

Toen Homer – die een beetje op een omgekeerde tol leek – door de atmosfeer brak, zagen ze achter hem de stroom heldere vlammen. In het controlecentrum barstte het applaus los.

'Hoogste temperatuur over één minuut en veertig seconden,' waarschuwde de vluchtleider. 'Mogelijke plasma-uitval.' In het controlecentrum nam de spanning in één keer toe, alsof iedereen tegelijk zijn adem inhield.

'Plasma-uitval!' zei de vluchtleider. 'We hebben een plasma-uitval. Signaal zal volgens verwachting over twee minuten terugkeren.'

Annie kneep in haar vaders hand.

Hij kneep terug. 'Maak je geen zorgen,' zei hij. 'We weten dat dit kan gebeuren. Het komt door de frictie in de atmosfeer.'

De klok aan de muur tikte door. Iedereen in het controlecentrum keek ernaar en wachtte tot er weer contact met Homer was. Er gingen twee minuten voorbij, drie, vier. Mensen begonnen tegen elkaar te fluisteren en de spanning steeg.

'We ontvangen geen signaal van Homer,' zei de vluchtleider. De schermen waarop Homers afdaling te zien was geweest waren zwart. 'We hebben het contact met Homer verloren!' zei de vluchtleider. Verschillende rode lampjes in de controleruimte begonnen te knipperen.

'Wat gebeurt er?' fluisterde Annie.

Haar vader schudde zijn hoofd. 'Nu maak ik me wel zorgen,' antwoordde hij. 'De kans bestaat dat Homers communicatiesysteem tijdens de aankomst in de atmosfeer is gesmolten.'

'Betekent dat dat Homer dood is?' vroeg Emmett met een harde stem. Een paar mensen draaiden zich om en keken naar hem.

De vluchtleider had zijn koptelefoon afgezet en krabde in gedachten aan zijn wenkbrauw. Als Homer geen communicatiesysteem meer had, konden ze er niet achter komen wat er met de slimme robot was gebeurd. Hij kon geland zijn, hij kon neergestort zijn. Hij kon zelfs bewijs vinden dat er leven op Mars was geweest, maar niemand op aarde zou het ooit te weten komen omdat Homer geen contact kon maken en het niet kon vertellen.

'De controlesatelliet van Mars laat geen beelden van Homer zien!' schreeuwde iemand paniekerig. 'De controlesatelliet kan Homer niet lokaliseren. Homer is onzichtbaar voor alle systemen.'

Maar toen, een paar seconden later, was Homer plotseling terug. 'We hebben een signaal!' riep een man uit terwijl zijn beeldscherm tot leven kwam. 'Homer nadert het oppervlak van Mars. Homer klapt zijn parachute uit.'

Op het grote scherm zagen ze hoe er achter Homer een parachute opbolde en de kleine robot bungelde langzaam naar het oppervlak van de planeet.

'De poten van Homer zijn in gereedheid gebracht voor de landing. Homer is geland! Homer is aangekomen in het noordpoolgebied van Mars.'

Sommige mensen begonnen te juichen, maar Erik niet. Hij keek verward.

'Dat is toch goed?' fluisterde Annie tegen hem. 'Homer is toch in orde?'

'Het is goed, maar het is vreemd,' zei Erik peinzend. 'Ik begrijp er niets van. Hoe kan Homer zo lang het contact verliezen en het dan weer herstellen? En hoe kan het dat hij niet te zien was op de beelden van de controlesatelliet? Het is net of hij een paar minuten helemaal was verdwenen. Dat is heel erg vreemd. Ik vraag me af wat er nu gaat gebeuren...'

'Maar,' zei George, die inmiddels languit op een tak lag, 'wat heeft dit met buitenaardse wezens te maken?'

'Niets,' zei Emmett vanaf de grond. 'Ze heeft niet door dat dit gewoon een technische storing was en ze maakt er iets heel bijzonders van.'

'Dat zeg je alleen omdat je de rest van het verhaal niet kent,' zei Annie geheimzinnig. 'Jij weet niet wat er daarna is gebeurd.'

'Wat dan?' vroeg Emmett. 'Wat is er daarna dan gebeurd?'

'Dat is niet geschikt voor schijnheilige huilebalken,' zei Annie uit de hoogte. 'Het is een verhaal voor grote kinderen. Waarom ga jij niet naar binnen en maak je een computercode terwijl ik met mijn vriend praat.'

'Kun jij dat?' vroeg George aan Emmett. 'Kun jij echt een computercode schrijven?'

'O, ja!' zei Emmett enthousiast. 'Wat je maar op je

computer nodig hebt. Ik kan alles. Ik ben een codetove-
naar. Een paar maanden geleden heb ik bij een software-
bedrijf gesolliciteerd; ik heb ze wat informatie gestuurd
voor een internetversie van mijn spaceshuttlesimulator.
Ze boden me een baan aan, tot ze erachter kwamen dat ik
pas negen ben. Toen ging het niet door.'

'Dus je bent eigenlijk een soort genie?' zei George.

'Yep,' beaamde Emmett opgewekt. 'Je mag mijn simulator wel proberen als je wilt. Je kunt zien hoe het is om
met een spaceshuttle op te stijgen. Het is echt heel gaaf.
Als Annie me het verhaal over de buitenaardse wezens
vertelt, mogen jullie er alle twee op spelen.'

Net toen George bedacht hoe leuk hij dat zou vinden,
zei Annie: 'Dat willen we niet, dus ga nu maar weg!'

Emmett barstte aan de voet van de boom in snikken
uit en op dat moment kwamen Susan en Erik de veranda
op.

'Tijd om uit de boom te komen,' riep Susan. 'En tijd
om aan tafel te gaan.'

# 5

George was zo moe van de lange reis dat hij onder het tandenpoetsen bijna in slaap viel. Hij strompelde de kamer binnen die hij met Emmett deelde. Emmett zat nog achter zijn computer en liet met zijn simulator spaceshuttles opstijgen en landen.

'Hé, George,' zei hij. 'Wil je met een shuttle door de ruimte vliegen? Kijk, het is net echt. Ik heb alle tijdcommando's ingevoerd en hij zegt precies wat er gebeurt.'

'T-minus zeven minuten en dertig seconden,' zei een robotachtige stem. 'Orbiter Access Arm losgekoppeld.'

George was zo uitgeput dat hij nauwelijks een woord kon uitbrengen. 'Nee, Emmett,' zei hij. 'Ik denk dat ik gewoon...' en voordat het aftellen voor de lancering voorbij was, was hij in slaap gevallen.

De commando's voor de lancering moesten een weg gevonden hebben naar George' hersens, want hij had een vreemde droom. Hij droomde dat hij op de stoel zat van de gezagvoerder van een spaceshuttle. Hij was verantwoordelijk voor de vlucht van het enorme ruimteschip. Het leek wel of hij boven op een enorme raket zat die de lucht in werd geschoten. Terwijl ze de donkere ruimte binnengingen, dacht hij dat hij sterren langs het raam van de shuttle voorbij zag schieten. In de donkere lucht zagen ze er plotseling heel helder uit en ze waren zo dichtbij! Een van de sterren leek op hem af te komen en het felle licht scheen recht in zijn gezicht. Het was zo helder en schitterend dat...

Hij werd met een schok wakker. Hij lag in een vreemd bed en er scheen iets in zijn gezicht.

'George!' fluisterde degene die voor hem stond. 'George! Wakker worden! Het is een noodgeval!'

Het was Annie, in haar pyjama.

'Bleeeuurgh!' riep George uit toen Annie zijn deken opensloeg en hem bij zijn arm pakte. Hij beschermde zijn ogen tegen het licht van de zaklantaarn.

'Naar beneden,' zei ze. 'En superstil zijn. Het is onze enige kans om Emmett te ontlopen! Kom op!'

George liep half struikelend achter haar aan. De vreemde droom over de spaceshuttle speelde nog door zijn hoofd. Hij liep op zijn tenen de trap af en ging naar de keuken, waar Annie de deur naar de veranda had opengemaakt. Toen hij buiten kwam, scheen ze met haar zaklantaarn op een stuk papier. Er stonden allerlei tekeningen op. Het zag er zo uit:

'Is dit het?' zei George, die met zijn ogen knipperde. 'Is dit de buitenaardse boodschap? Hebben ze je een tekening gestuurd op een bladzijde uit een schoolschrift?'

'Nee, slimmerd,' zei Annie tegen hem. 'Natuurlijk niet. Het bericht heb ik via Kosmos ontvangen. Ik heb het van zijn scherm nagetekend.'

'Kosmos?' zei George verbaasd. 'Maar die doet het toch niet?'

'Ik heb je nog niet het hele verhaal verteld.'

Nadat Homer op Mars was geland, moest hij allerlei ingewikkelde dingen doen. Hij moest verslag doen van het weer op Mars, op zoek gaan naar sporen van water in de grondmonsters en kijken of hij sporen van bacterieel leven op Mars kon ontdekken.

Maar geen van die dingen deed hij. De robot leek een beetje in de war te zijn. Hij reageerde niet op signalen vanaf de aarde; hij reed rondjes of gooide scheppen vol aarde de lucht in.

Alhoewel Homer niet reageerde op de opdrachten die hem vanaf de aarde werden gestuurd, bleef hij wel berichten sturen. Het bleken foto's van zijn voeten te zijn of andere informatie waar niemand iets aan had. Via de hulpsatelliet – die in een baan rond Mars vloog en die beelden naar de aarde stuurde – konden de mensen in het controlecentrum de robot zien, maar niet de hele tijd. Een keer, vertelde Annie, had haar vader naar Homer gekeken en op de satellietfoto's had hij iets heel vreemds gezien. Als hij niet beter wist, zou hij hebben gezworen dat Homer met zijn robotarm naar hem had gezwaaid. Bijna alsof hij zijn aandacht probeerde te trekken.

Annie vertelde dat Erik behoorlijk zenuwachtig was geworden door wat er allemaal gebeurde. Er waren een heleboel mensen die wilden weten wat Homer op Mars had gevonden en waar de robot mee bezig was. Tot nu toe kon Erik echter niks laten zien, behalve beelden van een robot die zich wel heel erg vreemd gedroeg.

De leiding van het Global Space Agency kreeg het er behoorlijk benauwd van. Homer was een ontzettend dure robot en veel mensen hadden eraan meegewerkt om hem te bouwen, te lanceren en te besturen. Hij speelde een belangrijke rol in het nieuwe ruimtevaartprogramma en hij moest de planeet verkennen waar misschien ooit mensen zouden gaan wonen. Niet iedereen was het ermee eens dat er zoveel geld aan ruimtevaart werd besteed. Nu Homer niet deed wat hij moest doen, konden die mensen zeggen dat het zonde was van alle tijd die er in het project was gestoken.

Homers vreemde gedrag betekende dat Erik de informatie over mogelijk leven op Mars niet kreeg. Zijn hart brak als hij naar de robot keek die maar wat aanrommelde op de rode planeet. Erik zag er elke dag treuriger uit. Als Homer niet snel zou gaan meewerken, zou de missie worden afgeblazen en dan zou de robot niet meer zijn dan een hoopje metaal op een verre planeet.

Annie kon het niet aanzien. Haar vader was zo opgewonden en blij geweest en hij had zich zo verheugd op de dingen die Homer zou gaan ontdekken. Ze vond het vreselijk om te zien hoe verdrietig hij was en dus had ze een briljant plan bedacht: ze had besloten om Kosmos tevoorschijn te halen, gewoon om te kijken of ze hem weer aan de praat kon krijgen.

'Ik dacht: als we Kosmos hebben,' zei ze tegen George terwijl ze onder de heldere sterrenhemel stonden, 'dan kunnen we gewoon naar Mars gaan, de robot repareren en terugkeren zonder dat iemand iets in de gaten heeft. Als we gaan op het moment dat de hulpsatelliet aan de andere kant van Mars is, dan hoeft niemand ons te zien. Ik bedoel, we zouden wel voorzichtig moeten zijn en geen voetsporen achter moeten laten of iets moeten laten vallen, want dat zou opvallen.'

'Hm,' zei George, die nog steeds een beetje droomde. 'En wat heb je toen gedaan?'

'Ik heb Kosmos uit zijn geheime schuilplaats gehaald.'

'Niet zo heel geheim dus, als jij wist waar hij was...' zei George.

'En,' ging Annie verder, zonder zich iets van zijn opmerking aan te trekken, 'ik heb hem opgestart.'

'En deed hij het?' George was plotseling klaarwakker.

'Niet echt,' gaf Annie toe. 'Heel even en hij zei helemaal niks. Maar dit stond op zijn scherm.' Ze wapperde met het velletje. 'Het is echt waar. Ik zag het op het scherm. Het was een boodschap. Ik heb de afzender gecontroleerd. Er stond: *onbekend*. Als locatie stond er: *buitenaards*. Daarna gaf Kosmos geen teken van leven meer en het lukte niet om hem nog een keer op te starten.'

'Wauw!' zei George. 'Heb je het aan Erik verteld?'

'Natuurlijk,' zei Annie. 'En ook hij probeerde Kosmos weer op te starten, maar er gebeurde niets. Ik liet hem de boodschap zien, maar hij geloofde me niet.' Ze haalde haar schouders op. 'Hij zei dat ik het uit mijn duim zoog, maar ik weet zeker dat Homer naar ons zwaaide en dat hij ons iets duidelijk wil maken. Mijn vader hield echter vol dat Homer het niet meer doet omdat hij beschadigd is toen hij de atmosfeer van Mars binnenging. Hij zei dat deze boodschap – als Kosmos die al heeft ontvangen – gewoon iets te maken heeft met het feit dat Kosmos kapot is.'

'Dat is wel heel saai van hem,' merkte George op.

'Nee, hij gedraagt zich gewoon als een wetenschapper. Het is zoals Emmett zei,' gaf Annie toe, 'de meeste mensen denken dat er daar ver weg misschien alleen een vorm van bacterieel leven is en dat er geen buitenaardse wezens bestaan. Maar ik denk...'

'Wat denk je?' vroeg George, en hij keek naar de sterren hoog boven hem aan de hemel.

'Ik denk,' zei Annie stellig, 'dat er daar iemand is die met ons in contact wil komen. Ik denk dat diegene Homer gebruikt om onze aandacht te trekken, maar omdat we hem negeren, stuurt hij ons berichten via Kosmos. Wij kunnen ze alleen niet lezen, omdat Kosmos kapot is.'

'Wat moeten we doen?'

'We moeten ernaartoe,' zei Annie, 'en zelf uitzoeken wat er aan de hand is. Maar eerst moeten we Kosmos repareren. We moeten kijken of de buitenaardse wezens ons nog meer berichten sturen! En dan kunnen we misschien een boodschap terugsturen...'

'Hoe moeten we dat doen?' vroeg George. 'Ik bedoel, hoe kunnen we een boodschap terugsturen die zij kunnen begrijpen? Zelfs als we weten hoe we een boodschap kunnen sturen, wat moeten we zeggen? En in welke taal? Zij hebben ons een boodschap gestuurd in beelden – dat hebben ze waarschijnlijk gedaan omdat ze niet weten hoe ze tegen ons moeten praten.'

'Ik denk dat we moeten zeggen: laat onze lieve robot met rust, stelletje vervelende buitenaardse wezens!' zei Annie boos. 'Jullie hebben de verkeerde beschaving uitgezocht! Ga maar iemand anders pesten.'

'Maar we weten niet wie ze zijn en waar ze vandaan komen,' stribbelde George tegen. 'We kunnen niet gewoon zeggen: ga maar weg, buitenaardse wezens. Dan komen we er nooit achter wie de boodschap heeft gestuurd.'

'Wat denk je van: Kom in vrede en ga dan weer snel

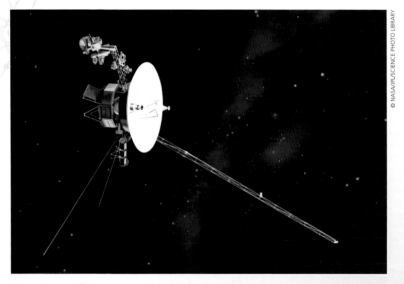

Computercompilatie van een Voyager-ruimtevaartschip.

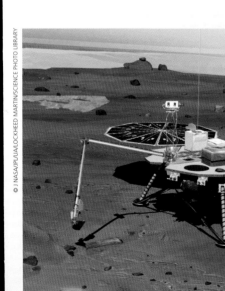

Computercompilatie van een Phoenix-ruimtevaartschip op Mars.

Beeld van de Chasma Boreale-vallei op Mars.

# Mercurius

Het oppervlak
van Mercurius vol
inslagkraters.

Kraters op Mercurius.

# Venus

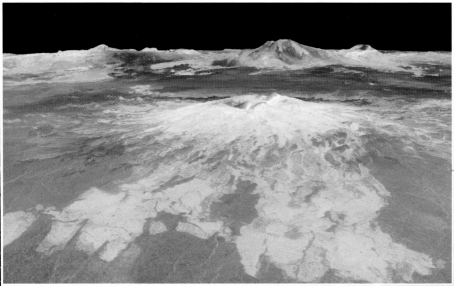

© JPL/NASA/SCIENCE PHOTO LIBRARY

Vulkanen op Venus.

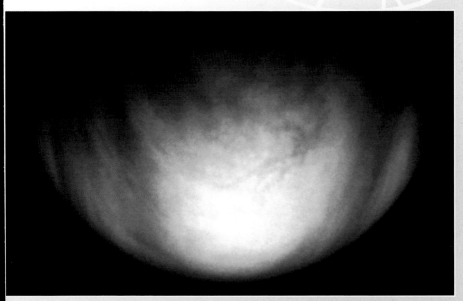

De atmosfeer van Venus.

## Jupiter

Een beeld van Jupiter, genomen vanaf de Voyager 1.

# Saturnus

Saturnus en zijn ringen.

Titan, de maan van
Saturnus, geregistreerd
door Cassini.

# Uranus en Neptunes

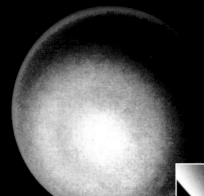

© NASA/SCIENCE PHOTO LIBRARY

Beeld van Neptunes met, nog net zichtbaar, zijn grootste maan, Triton.

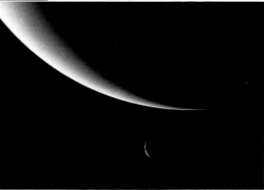

Beeld van Uranus, geregistreerd door Voyager 2.

© JPL/NASA/SCIENCE PHOTO LIBRARY

Beeld van Neptunes, geregistreerd door Voyager 2.

naar huis?' zei Annie. 'Op die manier weten we wel wie ze zijn, maar als ze kwaad in de zin hebben, mogen ze niet komen.'

'O, ja?' zei George. 'En wie houdt ze dan tegen? Ze zouden hier kunnen landen en misschien zijn het wel een soort gigantische machines en vermorzelen ze ons, zoals wij met mieren doen.'

'Of,' zei Annie, en haar ogen glansden in het licht van haar zaklamp, 'misschien zijn ze wel piepklein, zoals krioelende bacteriën onder een microscoop. Zij weten niet hoe groot wij zijn en wij merken het niet eens als ze op aarde komen.'

'Misschien hebben ze wel veertien koppen met kwijl,' zei George vol afschuw. 'Dan zouden we ze wel opmerken!'

Ze hoorden een krakend geluid gevolgd door voetstappen. Op de veranda stond een slaperig kijkende Erik.

'Wat is hier aan de hand?' vroeg hij nogal boos.

'George kon niet slapen,' zei Annie snel. 'Door de jetlag. Dus ik wilde net, eh... een glas water voor hem pakken.'

'Hm,' zei Erik. Zijn haar stond alle kanten op. 'Naar boven jullie twee.'

George glipte snel de kamer binnen die hij met Emmett deelde, maar niet voordat hij Annies zaklamp van haar had afgepakt. Hij sprong in bed. Hij was nu klaarwakker en dus haalde hij zijn REISGIDS VOOR DE RUIMTE tevoorschijn en ging naar het hoofdstuk: 'In contact met buitenaardse wezens'.

## In contact met buitenaardse wezens

Als er buitenaardse wezens bestaan, kunnen wij ze dan ooit ontmoeten?

De afstanden tussen de sterren zijn onvoorstelbaar groot, dus we kunnen er niet zeker van zijn dat we op een dag handen zullen schudden met buitenaardse wezens (aangenomen dat buitenaardse wezens handen hebben). Maar ook al zullen buitenaardse wezens onze planeet niet kunnen bezoeken of kunnen wij geen bezoek brengen aan hun planeet, we zouden alsnog meer van elkaar te weten kunnen komen. We zouden met elkaar kunnen praten.

Een van de manieren waarop dit zou kunnen, is via de radio. Anders dan bij geluiden, kunnen radiogolven zich door de lege ruimte tussen de sterren voortbewegen. En dit gaat zo snel als maar mogelijk is: met de snelheid van het licht.

Bijna vijftig jaar geleden hebben wetenschappers uitge-zocht wat ervoor nodig zou moeten zijn om een signaal van het ene sterrenstelsel naar het andere te sturen. Tot hun verbazing kwamen ze erachter dat er voor een interstellair gesprek geen supergeavanceerde apparatuur nodig is, zoals je vaak in sciencefictionfilms ziet. Het is mogelijk om radiosignalen van het ene naar het andere sterrenstelsel te sturen met een type radio dat we vandaag de dag kunnen maken. Dus de wetenschappers keerden hun schoolborden de rug toe en zeiden tegen zichzelf: als het zo eenvoudig is dan zullen buitenaardse wezens hoe dan ook gebruikmaken van radiogolven om op lange afstanden te communiceren. De wetenschappers kwamen op het idee om een paar grote antennes op de ruimte te richten en te luisteren of ze buitenaardse signalen konden opvangen. Als ze immers een buitenaardse zender konden ontvangen, dan was in één keer bewezen dat er daar in de ruimte iemand was, en dat was een stuk eenvoudiger en goedkoper dan raketten de ruimte in sturen op zoek naar een bewoonde planeet.

Helaas is het afluisteren van buitenaardse wezens tot nu toe niet gelukt. Het experiment, dat seti heet (Search for Extraterrestrial Intelligence), heeft er tot nu toe niet toe geleid dat er ook maar één enkel piepje vanuit de ruimte is opgevangen. Waar we de antennes ook op hebben gericht, de radiobanden laten een teleurstellende stilte horen, op de natuurlijke geluiden van objecten zoals quasars en pulsars na. (Een quasar bevindt zich in de kern van sommige sterrenstelsels en straalt heel veel energie uit. Een pulsar is een snel ronddraaiende neutronenster.)

Houdt die stilte in dat intelligente buitenaardse wezens – die in staat zijn radiozenders te bouwen – niet bestaan? Dat zou een verbazingwekkende conclusie zijn, want er zijn minstens een miljoen keer een miljoen planeten in ons Melkwegstelsel en er zijn wel honderdduizendmiljoen andere sterrenstelsels! Als we de enigen zijn, zou dat betekenen dat we superspeciaal zijn en ongelooflijk eenzaam...

seti-wetenschappers zullen zeggen dat het veel te vroeg is om te concluderen dat we de enigen in het heelal zijn. Als je wilt luisteren naar buitenaardse uitzendingen dan moet je niet alleen je antenne richten op het juiste punt, je moet ook de juiste zender vinden, een gevoelige ontvanger hebben en op het juiste moment luisteren. SETI-experimenten kun je vergelijken met het zoeken naar een schat terwijl je geen kaart hebt. Het is dus helemaal niet vreemd dat we nog niets hebben gevonden. Het is net alsof we een paar kuilen hebben gegraven op een strand van een eiland in de Stille Zuidzee en alleen maar nat zand en krabben hebben gevonden. Je moet dan niet meteen denken dat er geen schat is. Gelukkig gaat het zoeken naar signalen steeds sneller door nieuwe radiotelescopen en het is goed mogelijk dat we binnen enkele tientallen jaren een zwakke uitzending ontvangen van een andere beschaving.

Wat zouden ze dan tegen ons zeggen? We kunnen er natuurlijk alleen maar naar raden maar het zal vast een lange boodschap zijn, want een snel gesprek houden is onmogelijk. Stel je voor dat de dichtstbijzijnde buitenaardse wezens op een planeet wonen die rond een ster draait die duizend lichtjaar ver weg staat. Als we morgen een signaal van hen ontvangen dan heeft dat er duizend jaar over gedaan om ons te bereiken. Het zal dus een oude boodschap zijn, maar dat is niet erg. Immers, als je Sophokles of Shakespeare leest dan zijn, dat ook 'oude' boodschappen maar ze zijn nog steeds interessant.

Als we zouden antwoorden, zou onze reactie er ook duizend jaar over doen om de buitenaardse beschaving te bereiken en er zal duizend jaar verstrijken voordat we antwoord terugkrijgen! Met andere woorden, een simpele boodschap als 'Hallo?' en het buitenaardse antwoord 'Zork?' zou er twintig eeuwen over doen. Dus al is praten via de radio een stuk sneller dan met een raket reizen om naar een buitenaardse vergadering te gaan, toch zou het een erg traag gesprek worden. Daarom zou het misschien handiger zijn als buitenaardse wezens ons boeken sturen over zichzelf en hun planeet. Maar zelfs al doen ze dat en sturen ze ons hun hele Buitenaardse Encyclopedie, kunnen we het dan wel lezen? Immers, in tegenstelling tot wat we zien in films en op televisie, zullen de buitenaardse wezens niet vloeiend Nederlands, Engels of een andere aardse taal kunnen spreken. Het is mogelijk dat ze plaatjes of getallen gebruiken om hun boodschap duidelijk te maken, maar dat weten we pas zeker als we een signaal oppikken.

Wat ze ons ook sturen, als we een radioflard opvangen van een verre wereld dan zal dat wereldnieuws zijn. Stel je eens voor hoe het was toen ontdekkingsreizigers vijf eeuwen geleden continenten vol bewoners vonden die in Europa nog volkomen onbekend waren. Een nieuwe wereld ontdekken verandert alles.

Vandaag de dag hebben we de houten zeilboten van die eerste ontdekkingsreizigers vervangen door gigantische antennes van aluminium en staal. Misschien zullen ze ons over niet eens zo heel veel tijd iets buitengewoon interessants vertellen. Namelijk dat in die enorme ruimte mensen niet de enigen zijn die naar het universum kijken. En misschien zijn het de kinderen van vandaag die dan luisteren en antwoorden. Misschien ben jij het wel!

Seth

## 6

De volgende dag aan de ontbijttafel waren George' oog-
leden erg zwaar en het was nogal verwarrend om te ont-
bijten terwijl het voor hem al middag was. Toch was dit
nog niks vergeleken bij de verwarring die Annies verhaal
die nacht had opgeroepen. Hij wist niet wat hij moest
denken van de dingen die zij hem had verteld.

Hij had al eerder getwijfeld aan iets wat ze hem had
gezegd; toen hij Annie voor het eerst ontmoette, had
ze hem toevertrouwd dat ze door de ruimte reisde. Hij
had haar uitgelachen en gezegd dat ze loog. Maar uiteindelijk bleek het te kloppen, dus hij vroeg zich af wat er
waar kon zijn van dit laatste verhaal.

Waar George zich zorgen om maakte, was dat Erik de
buitenaardse boodschap niet serieus nam. Aan de andere kant, als George Annies versie zou geloven, zou dat
misschien betekenen dat hij opnieuw door de ruimte
kon reizen en hij had er alles voor over om weer door de
kosmos te vliegen, zelfs al was het een reddeloze poging
om een vorm van leven te zoeken!

Susan onderbrak zijn gedachten: 'Ik dacht dat het wel
leuk zou zijn om George vandaag de omgeving te laten
zien,' zei ze. 'We kunnen wat rondrijden en naar het
strand gaan.'

Annie keek geschrokken op. 'Maar mam!' zei ze.

'George en ik hebben van alles te doen.'

'En ik moet de theorie over de informatieparadox nog bestuderen,' zei Emmett een beetje beledigd. 'Niet dat dat iemand wat kan schelen.'

'Doe niet zo raar,' zei Susan vastberaden. 'George is helemaal hiernaartoe gekomen om ons te zien, dus je kunt niet verwachten dat hij de hele dag met jou in een boom wil zitten kletsen.' De telefoon ging en ze nam op. 'George, het is voor jou,' zei ze, en ze gaf hem de hoorn.

'George!' klonk de krakende stem van zijn vader. Het leek wel of hij van heel, heel ver weg kwam. 'We wilden je alleen laten weten dat we in Tuvalu zijn aangekomen! We gaan straks aan boord van een schip en dan zeilen we naar de atollen. Hoe is het in Florida?'

'Alles is goed,' zei George. 'Ik ben hier met Erik en Susan en Annie, en er is nog een andere jongen die Emmett...'

Maar plotseling was de verbinding verbroken. George gaf de hoorn terug aan Susan.

'Hij belt vast nog wel een keer,' verzekerde ze hem. 'En je vader en moeder weten dat het goed met je gaat. En nu gaan we lekker naar buiten en gaan we iets leuks doen.'

Annie keek George wanhopig aan, maar ze kwamen er niet onderuit. Susan had plannen gemaakt om met hen naar de kermis te gaan, naar het zwembad, naar een opvangcentrum voor dolfijnen en naar het strand. Een paar dagen lang waren ze elke dag en elke avond op stap. Ze hadden geen tijd om Kosmos uit zijn geheime schuilplaats te halen en hem te repareren. Bovendien konden ze geen stap zetten zonder dat Emmett achter hen aan kwam, dus konden ze niet eens rustig naar Annies buitenaardse boodschap kijken: slechts één keer hadden ze het blaadje kunnen bestuderen, toen ze zich in de badkamer hadden opgesloten.

'Dat is dus één persoon,' zei Annie. 'En die pijl betekent dat die persoon ergens naartoe gaat. Maar waar naartoe?'

'Eh... die persoon gaat naar...' zei George. 'Een verzameling kleine stipjes die rond een grotere stip bewegen. Ik weet het! Misschien zijn de stipjes planeten die in een baan om de zon draaien. De zon staat in het midden. De pijlen wijzen naar het vierde stipje, dus dat betekent dat die persoon naar de vierde planeet gaat vanaf de zon, en dat is...'

'Mars!' zei Annie. 'Ik wíst het! Er is een verband tussen deze boodschap en Homer. Deze boodschap betekent dat we naar Mars moeten en...'

'Maar wat betekent de rest dan?' zei George. 'Wat betekent dit allemaal? Een persoon met een streep erdoorheen?'

'Misschien is dat wat er gebeurt als diegene niet naar Mars gaat?'

'Als diegene niet naar Mars gaat,' zei George, en hij keek naar de volgende tekening, 'dan valt die grappige wandelende tak om.'

'Wandelende tak...?' zei Annie. 'Misschien is dat Homer? Als die persoon niet naar Mars gaat, dan gebeurt er iets verschrikkelijks met Homer! Het is echt belangrijk!'

'Luister, Annie,' zei George twijfelend. 'Ik weet dat je vader van slag is door Homer, maar het is maar een robot. Ze kunnen een andere sturen. Ik weet het niet, maar die tekeningen zijn gewoon niet duidelijk genoeg.'

'Kijk naar de onderste tekening,' zei Annie met een duistere stem, 'en huiver.'

'Als die persoon niet naar Mars gaat en Homer niet redt, dan...' zei George.

'Dan geen planeet aarde meer,' zei Annie.

'Geen planeet aarde meer?' riep George uit.

'Geen planeet aarde meer,' zei Annie nog een keer. 'Dat is de boodschap. We moeten naar Mars om Homer te redden want als we dat niet doen gebeurt er iets verschrikkelijks met onze planeet.'

'We moeten het aan je vader vertellen,' drong George aan.

'Dat heb ik geprobeerd,' zei Annie. 'Probeer jij het nog maar een keer.'

Op dat moment klonk er een harde bons op de badkamerdeur.

'Kom eruit!' schreeuwde Emmett. 'Verzetten heeft geen zin meer!'

'Mag ik zijn hoofd door het toilet spoelen?' vroeg Annie hoopvol.

'Nee!' zei George streng. 'Dat mag je niet. Hij is helemaal niet zo erg. Hij is best aardig, als je de moeite neemt om met hem te praten...'

Emmett bonsde nog een keer op de deur.

Eindelijk besloot Annies moeder dat ze een dagje thuis zouden blijven. De volgende dag zou het hoogtepunt zijn van George' vakantie: Erik had kaartjes voor de lancering van een spaceshuttle! Ze zouden naar het platform gaan om te kijken hoe het gigantische ruimtevaartuig met een enorme vaart de aarde zou verlaten. Zelfs Emmett was behoorlijk opgewonden. Hij mompelde achterelkaar spaceshuttlecommando's en herhaalde de hele tijd feiten over de orbitale ontsnappingssnelheid.

George en Annie waren om verschillende redenen zenuwachtig. George kon niet geloven dat hij nu van dichtbij de kracht zou zien die een raket nodig had om de ruimte in te gaan. Eerst was hij door Kosmos' deuropening gestapt om door de ruimte te reizen en nu zou hij zien hoe een ruimteschip aan zijn lange reis zou beginnen!

Annie kon bijna niet stil blijven zitten omdat ze de hele tijd aan haar geheime plan moest denken. 'Dit komt heel goed uit,' fluisterde ze tegen George. 'We zullen de buitenaardse wezens ontmaskeren! Echt waar!' Jammer genoeg weigerde ze George te vertellen hoe ze dat precies wilde gaan doen. Als hij het aan haar vroeg, kreeg ze een afwezige blik in haar ogen. 'Ik heb een heel goed plan,' zei ze tegen hem. 'En tegen de tijd dat jij er iets van moet weten, zal ik je alles vertellen. Het enige wat je nu moet doen, is mij vertrouwen.' George vond het vreselijk als Annie in zo'n geheimzinnige bui was, dan praatte hij veel liever met Emmett.

Toch moest George er steeds aan denken, en als Annie iets vaags zei over zich voordoen als geheim agent die zich bezighield met buitenaardse activiteiten, dan peinsde hij zich suf over wat de buitenaardse wezens met hun boodschap hadden bedoeld en waar het bericht vandaan kon komen. Hij had geprobeerd er met Erik over te praten, maar dat had niet veel zin gehad.

'George,' zei Erik geduldig, 'het spijt me, maar ik geloof niet dat er een boosaardige buitenaardse levensvorm is die het mijn robot moeilijk maakt en die de aarde wil vernietigen. Ik geloof het gewoon niet, dus hou erover op. Ik heb andere dingen aan mijn hoofd. Hoe we bijvoorbeeld een andere robot naar Mars kunnen sturen die het werk kan doen dat Homer had moeten doen. Dit is een moeilijke tijd voor de mensen die bij het Global Space Agency werken. Niet iedereen is zo slim als jij en Annie. Sommige mensen denken dat de hele ruimtevaart zinloos is.'

'Maar er zijn toch allerlei nuttige dingen uitgevonden doordat we de ruimte in zijn gegaan?' zei George opgewonden. 'Als we dat niet hadden gedaan, dan zouden we die dingen nu op aarde niet kunnen gebruiken.'

# RUIMTE-UITVINDINGEN

*Er zijn veel dingen die we op aarde gebruiken die oorspronkelijk zijn uitgevonden of ontwikkeld voor de ruimtevaart. We noemen er hier een paar:*

* apparatuur om verontreiniging te meten en te controleren
* automatische insulinepompen
* balpennen
* batterijen met een hoge energiedichtheid
* beschermende kleding
* beveiligingssystemen voor huizen
* bot-analysetechnologie
* branddetectors
* chirurgische instrumenten voor oogoperaties
* corrosiebeschermende coatings
* voedselverpakkingen
* detectoren voor radioactieve stoffen
* draagbare röntgenapparatuur
* energiebesparende airconditioning
* geluiddempend materiaal
* handstofzuigers
* krasbestendige lenzen
* luchtzuivering
* materiaal voor golfclubs
* opsporingstechnieken voor loodvergiftiging
* platte televisieschermen
* (betere) remvoeringen voor auto's
* rioolwaterzuivering
* robothanden
* satellietnavigatie
* schakelingen, heel kleine
* schokdempende helmen
* schoolbussen (verbeterd ontwerp)
* skibrillen die niet beslaan
* stormwaarschuwingsapparatuur (dopplerradar)
* systeem om aardbevingen te voorspellen
* tandpastatubes
* technologie om uitstoot van giftige gassen te verminderen
* verbetering van MRI-scans
* vriesdroogtechnologie
* vuurbestendige materialen
* winterbanden zonder spikes

'Maar George,' ging Erik vriendelijk verder, 'zelfs als we Kosmos weer aan de praat kunnen krijgen, dan nog denk ik niet dat het veilig is om de doorgang te gebruiken. Wat als hij ermee ophoudt terwijl iemand daar in de ruimte is en we hem niet op tijd kunnen repareren? Homer is maar een robot, George. Het is het risico niet waard.'

'Maar die onderste tekening dan?' hield George vol. 'Er staat een streep door de aarde.'

'Het bericht is vast van een of andere halvegare, en daar zijn er veel van op deze wereld. Zet het uit je hoofd. Ik zal de problemen met Homer oplossen, op de een of andere manier. Onze planeet wordt niet bedreigd, pas als de zon niet meer bestaat, wordt het leven op aarde onmogelijk, en dat duurt nog een paar miljard jaar. Maak je dus geen zorgen.'

'Eindelijk!' zei Annie toen haar vader naar zijn werk ging, haar moeder even weg was en Emmett veilig achter zijn ruimtesimulator zat. 'Nu kan Operatie Buitenaardse Levensvorm beginnen. We hebben niet veel tijd en we móéten Kosmos voor morgen aan de praat krijgen. Het is van levensbelang. Kom op, George!' Ze rende de trap op en ging naar de slaapkamer van haar ouders.

George volgde haar mopperend. 'Ga je me nu eindelijk vertellen wat we gaan doen?' vroeg hij vanaf de gang. 'Ik ben het zat dat je de hele tijd zegt: "Je hoort het wel tegen de tijd dat het nodig is en nu is het nog niet nodig." Ik ben helemaal hiernaartoe gekomen omdat ik je moest helpen, maar tot nu toe heb je me nog bijna niks over je plan verteld.'

Annie kwam met een stralende blik in haar ogen de slaapkamer van haar ouders uit. Ze had een metalen kist in haar armen. 'Sorry!' fluisterde ze. 'Maar ik wilde niet dat je Emmett zou vertellen dat wij de ruimte in zouden gaan om op buitenaardse wezens te jagen.'

'Dat zou ik nooit doen!' zei George, die beledigd was omdat Annie hem niet vertrouwde.

Ze liep met grote stappen naar haar slaapkamer en zette de metalen kist op haar bed. 'Kosmos,' verklaarde ze, 'zit hierin. En ik heb de sleutel.' Ze haalde een piep-klein sleuteltje tevoorschijn dat aan een kettinkje om haar nek hing, maakte de kist open en haalde de ouwe, vertrouwde platte, zilveren computer eruit. Ze deed de kist weer op slot en bracht hem terug naar de slaapkamer van haar ouders.

'Hoe kom je aan die sleutel?' vroeg George toen ze terugkwam.

'Ik heb hem geleend,' zei ze geheimzinnig. 'Nadat ik Kosmos had gevonden en het buitenaardse bericht had ontvangen, besloot mijn vader hem achter slot en grendel op te bergen. Maar hij weet nog steeds niet hoe slim ik ben.'

'Of hoe sluw?' merkte George op.

'Wat je wilt,' zei Annie. 'Laten we beginnen.'

Ze opende Kosmos en sloot hem aan. Ze drukte op start – de geheime sleutel naar het heelal – maar er gebeurde niets. Ze drukte nog een keer. Het scherm bleef zwart.

Plotseling zwaaide de slaapkamerdeur open en iemand stak zijn neus om het hoekje.

'Wat zijn jullie aan het doen?' vroeg Emmett.

'Niks!' zei Annie. Ze sprong op en wilde voor hem gaan staan zodat hij niets kon zien. Maar Emmett was al binnen.

'Als je niet zegt wat jullie met die computer aan het doen zijn,' zei hij op een gemene toon, 'dan vertel ik het aan je vader en moeder.'

'Wat vertel je dan?' vroeg Annie.

'Ik vertel dat jullie iets aan het doen zijn – wat dat dan ook is – en dat ik of zij daar niet achter mogen komen.'

'Maar je wéét niet wat ik aan het doen ben,' zei Annie.

'Dat weet ik wel,' zei Emmett. 'Dat is die computer die volgens jou heel veel kan. De computer die je niet mag gebruiken. Ik heb jou en George afgeluisterd zonder dat jullie het in de gaten hadden.'

'Jij geniepig onderkruipsel!' schreeuwde Annie, en ze sprong boven op hem.

'Ik haat je!' schreeuwde hij terug, en er ontstond een vechtpartij. 'Ik wilde hier helemaal niet logeren. Ik wilde met mijn vader en moeder mee naar Silicon Valley. Dit is de stomste vakantie die ik ooit heb gehad!'

'HOU OP ALLEBEI!' schreeuwde George.

Annie en Emmett lieten elkaar los en staarden naar George, die anders altijd zo rustig was.

'Luister nou,' zei hij. 'Jullie snappen er geen van beiden iets van. Emmett heeft een verschrikkelijke vakantie en hij verveelt zich. Maar je bent een computergenie, toch, Emmett?'

'Klopt,' zei Emmett nukkig.

'En, Annie, jij hebt een computerprobleem dat je niet zelf kunt oplossen. Dus waarom vraag je Emmett niet – op een aardige manier – of hij naar Kosmos wil kijken.

Misschien weet hij wel wat er moet gebeuren. Misschien vindt hij het wel leuk om dat te doen, en dan hoeven jullie geen ruzie meer te maken. Oké?'

'Zal wel,' mompelde Annie.

'Goed,' zei George. 'Annie, leg jij uit wat er aan de hand is.'

Annie wees naar de zilveren laptop die op haar bed lag. 'Dit is een computer...'

'Dat zie ik ook wel.' Emmett keek nors voor zich uit.

Ze maakte haar zin af: '... die heel bijzondere dingen kan. Hij kan deuren openen naar plekken in het heelal.'

Emmett stak zijn neus in de lucht. 'Dat betwijfel ik.'

'Het is echt waar,' zei George. 'De computer heeft een naam. Hij heet Kosmos en als hij het doet, dan is hij fantastisch. Erik heeft hem uitgevonden, maar we hebben hem vorig jaar per ongeluk opgeblazen. Erik heeft Kosmos nu heel hard nodig en wij moeten hem weer aan de praat zien te krijgen. Emmett, zou jij willen kijken of je hem kunt repareren?'

'Ik haal mijn computer-noodgevallen-reparatieset!' zei Emmett, die nu van oor tot oor glimlachte. Hij stormde de kamer uit.

'Hij is zo erg nog niet,' zei George tegen Annie. 'Je moet hem alleen een kans geven.'

'Eentje dan,' mompelde Annie.

Emmett kwam terug met een verzameling hardware, cd's en schroevendraaiers in verschillende maten. Hij stalde de spullen netjes uit en ging aan de slag. De anderen keken zonder iets te zeggen toe hoe hij met hun oude vriend Kosmos in de weer was. Zijn arrogante uitdrukking was verdwenen en hij had een rimpel op zijn voorhoofd.

'Wauw!' zei hij. 'Ik heb nog nooit zoiets gezien! Ik wist niet dat ze een computer konden maken waar ik niets van snapte!'

'Kun je hem redden?' fluisterde Annie.

Emmett keek verbijsterd naar Kosmos. 'Deze hardware is megacool,' zei hij. 'Ik wist helemaal niet dat er al kwantumcomputers bestonden.' Hij ging weer verder en beet peinzend op zijn onderlip.

Het geluid van de krekels in de tuin kwam door het open raam naar binnen. Maar plotseling hoorden ze nog een ander geluid. Het was heel zacht en geen van hen wist zeker of ze het wel echt hadden gehoord.

'Was dat niet...?'

'Ssst!' zei Annie. Ze hoorden het opnieuw. Een heel zachte bliep. Toen ze dichter bij het scherm kwamen, zagen ze dat er aan de zijkant van het scherm een heel zwak geel lijntje liep. In het midden van het scherm, dat tot nu toe zwart was geweest, zagen ze nog een dunne lijn oplichten.

'Emmett!' gilde Annie. Ze sloeg enthousiast haar armen om hem heen. Hij dook in elkaar en trok een vies gezicht. 'Het is je gelukt! Ik ga proberen met hem te praten.' Ze leunde voorover naar het scherm. 'Kosmos, kom alsjeblieft terug!' smeekte ze. 'We hebben je nodig.'

Het scherm flikkerde en werd toen weer zwart. Maar toen bliepte Kosmos opnieuw: één keer en toen twee keer. Er verscheen nog een lijn in het midden van het scherm. De lijn veranderde even in een kronkelende worm, vormde toen een cirkel en verdween weer.

'Dat is vreemd,' zei Emmett onzeker. Hij typte een paar commando's in, drukte op een paar toetsen en leunde toen achterover.

Er klonk een zoemend geluid. En toen, eindelijk, zei Kosmos iets.

'1010111110000010,' zei hij.

George en Annie waren stil van verbazing. Ze waren nooit op het idee gekomen dat ze Kosmos weer aan de praat zouden krijgen, maar dat ze hem niet zouden kunnen verstaan.

# BINAIRE GETALLEN

Ons normale getallenstelsel werkt met het grondtal 10. Er zijn nummers van 1 tot en met 9 en dan schuift nummer 1 naar de volgende kolom om aan te geven dat er nu een groep tienen bijkomt. Na 99 (9 x 10 plus 9 x 1) is er een nieuwe kolom nodig om het aantal honderden (10 x 10) te laten zien. Vervolgens na 999 voor de duizenden (10 x 10 x 10). En zo verder.

In het binaire getallenstelsel is het grondtal 2 in plaats van 10. Dus de kolommen staan voor de veelvouden van 2: 2, 4 (2 x 2), 8 (2 x 2 x 2) etc. Het nummer 3 ziet er daarom uit als 11 (1 x 2 plus 1 x 1). En tot 10 tellen ziet eruit als 1, 10, 11, 100, 101, 110, 111, 1000, 1001, 1010.

Vroeger gebruikten computerprogrammeurs binaire getallen omdat het makkelijker is om een schakeling te maken met alleen een aan-positie en een uit-positie dan eentje met verschillende toestanden. De eerste computers waren gemaakt van elektrische systemen die enkel aan of uit konden detecteren en vandaar dat men met een binaire code werkte. De 0 stond voor uit en de 1 voor aan. Op deze manier kunnen ingewikkelde berekeningen worden vertaald in aan/uit-schakelaars in de computer.

'11000101001,' ging Kosmos verder.

Annie trok aan Emmetts poloshirt.

'Wat heb je met hem gedaan?' vroeg ze angstig. 'Waar is de buitenaardse boodschap gebleven?'

'Heilige supersymmetrische snaar!' riep Emmett uit. 'Hij communiceert in base twee!'

'Wat is dat?' vroeg George.

'Dat is een getalsysteem met twee cijfers,' zei Emmett. 'Het is een binair systeem dat alle computers gebruiken.'

George wilde een commando typen, maar hij deinsde achteruit toen hij Kosmos hoorde schreeuwen: '101000 1010111010101000101010101011010100000010010 101.'

'Wat is dat?' zei Annie. 'Wat is er met Kosmos aan de hand. Waarom kan hij wel praten, maar begrijpen we hem niet?'

'Oké, dus deze computer praat dus met jullie en normaal gesproken begrijpen jullie hem...' zei Emmett langzaam. 'Maar nu spreekt hij in de taal van het interne systeem, het systeem waarop computertaal is gebaseerd. Een soort pre-taal.'

'1101011!' zei Kosmos met een soort uithaal.

'O, mijn god,' zei Annie vol afschuw. 'Misschien is hij een soort babycomputer geworden en spreekt hij alleen nog babytaal.'

Kosmos pruttelde en lachte.

'Misschien zegt hij: "Ta-ta! Mama!"' ging Annie verder.

'Volgens mij heb je gelijk,' zei Emmett, die zo in de weer was met de computer dat hij niet eens in de gaten had dat hij Annie gelijk gaf. 'Ik zal iets uitproberen. Eens kijken of hij Basic kent.'

'GOTO, GOTO, GOTO, GOTO,' zei Kosmos.

Emmett deed een schijfje in de supercomputer. 'Ik zal proberen om hem te updaten,' zei hij. 'Iets wat beter bij hem past. Het is nu alsof hij in de oude computerwereld zit. Ik zal Fortran 95 proberen.'

'REAL. NOT. END. DO,' antwoordde de supercomputer.

Emmett probeerde het nog een keer en Kosmos' scherm werd donkerder en zijn circuits knetterden. 'Het lijkt wel of hij die disks opeet,' zei Emmett. 'Bizar, hè?'

Eindelijk sprak Kosmos in een taal die ze konden verstaan. 'Alles oké?' vroeg hij.

'Kosmos!' zei Annie blij. 'Je bent er weer. Dat is fantastisch! Nu moet je zo snel mogelijk de deuropening maken, ik moet...'

'Tss, tss, tss,' zei Kosmos sloom.

George schoot te hulp. 'Kosmos!' smeekte hij. 'We zitten in de problemen. We hebben je hulp echt heel hard nodig.'

'Yeah, man, ik ben net aan het chillen,' antwoordde de intelligentste computer van de wereld.

'Wát ben je aan het doen?' vroeg George langzaam, en hij boog naar voren om hem beter te bekijken.

'Hé joh, niet naar mijn scherm kijken!' schreeuwde Kosmos plotseling. 'Niet kijken man, dat is privé.'

George probeerde het opnieuw. 'We hebben een heel groot probleem...' begon hij.

'Hou je mond,' onderbrak Kosmos hem. 'Ik ben aan 't relaxen. En zit niet zo naar m'n scherm te kijken.'

'Kosmos...' kirde Annie lief. 'Waarom ben je zo gestrest?'

'Omdat ik geen zin heb in deze mensen,' antwoordde hij. 'Maar met jou kan ik wel levelen.'

'Ahhh, *thanx*!' zei Annie. 'Maar Kosmos, mattie, we zitten echt zwaar in de problemen. Mijn vader, die is echt broeia, omdat iemand met z'n robot zit te tossen.'

'Dat is echt kraka!' riep Kosmos uit. Hij klonk eindelijk geïnteresseerd.

George en Emmett luisterden vol verbazing naar de woorden van Annie en Kosmos.

'Jij bent echt über, je bent de wreedste computer ever,' zei Annie. 'Kun je ons helpen om erachter te komen wie met onze robot heeft lopen knikkeren?'

'Ja, oké,' antwoordde Kosmos. '*I 'm in.*'

Terwijl Kosmos' gezoem zachter werd, draaide Annie zich om en keek met een trotse blik naar de anderen. 'Hij zei dat hij met mij kon levelen!' riep ze vrolijk uit.

'En kijk...' ze hield haar adem in. 'De deur naar het heelal!'

Er scheen een kleine lichtstraal vanaf Kosmos' scherm naar de andere kant van de kamer en daar verscheen de deur waardoor George en Annie eerder naar het univer-

sum waren gegaan. De deur zwaaide open en door de opening zagen ze de donkere hemel bezaaid met sterren die veel helderder waren dan wanneer je ze vanaf de aarde bekeek.

Er kwam een rode planeet in beeld.

George zette een stap naar de opening, maar voordat hij dichterbij kon komen, sloeg de deur voor zijn neus dicht. Op de deur zat een poster waarop in grote, scheve letters de woorden VERBODEN TOEGANG waren geschreven. Ze sprongen alle drie achteruit, want op datzelfde moment kwam er keiharde muziek uit de ruimte achter de deur.

'Annie, wat is er aan de hand?' vroeg George.

'Nou, ik weet het niet zeker,' zei ze, 'maar Kosmos praat hetzelfde als de oudere kinderen bij ons in de buurt. Ik bedoel: hij doet hetzelfde als die kinderen die denken dat ze heel cool zijn.'

'Hoe oud zijn die kinderen?' vroeg George.

'O, ongeveer veertien, denk ik,' zei Annie. 'Hoezo?'

'Omdat,' zei George, die goed had nagedacht, 'Kosmos met een soort babycomputertaal begon toen we hem net hadden opgestart. En Emmett heeft hem wel geüpdatet, maar dat is niet helemaal gelukt. Dus dat betekent dat...'

Annie maakte zijn zin af: 'Kosmos,' zei ze angstig en verbaasd, 'nu een tiener is.'

'Wat zal je vader hiervan vinden?' vroeg George.

'Volgens mij kunnen we dit beter niet aan hem vertellen. Nog niet, tenminste.'

Ze hoorden beneden de voordeur opengaan. 'Snel!' zei Annie. 'Emmett, zet Kosmos uit!'

Emmett zette de computer uit en ze schoven Kosmos onder Annies bed. Er klonken voetstappen op de trap en toen Erik de deur van Annies slaapkamer opende, zag hij drie kinderen die braaf op een rijtje in een boek zaten te kijken dat hij geschreven had.

'Wat fijn om te zien dat jullie geen ruzie meer maken,' merkte hij op.

Annie sloeg een arm om Emmetts schouders. 'Ja, nou,' zei ze. 'We zijn vrienden geworden, toch, Emmett?' Ze gaf hem een por. 'Zeg iets,' fluisterde ze in zijn oor.

'Ja, dat kan ik bevestigen,' zei Emmett afwezig. Hij was nog steeds ondersteboven van wat hij Kosmos had zien doen.

'Goed zo,' zei Erik. 'Ik zie dat jullie een van mijn boeken aan het lezen zijn. *Het heelal: verleden en toekomst van ruimte en tijd*. Wat vinden jullie ervan?'

'Heel erg interessant,' zei George beleefd. Hij had er geen woord van begrepen.

Emmett was weer terug op aarde. 'Er staat alleen wel een fout in,' zei hij behulpzaam.

'Echt waar?' zei Erik glimlachend. 'Dat is nog niemand opgevallen, maar dat wil nog niet zeggen dat je ongelijk hebt.'

'Ik weet wel hoe je het zou kunnen aanpassen,' zei Emmett.

Annie kreunde, maar George wierp haar een strenge blik toe. 'Ik bedoel: wat goed van je, Emmett,' zei ze.

'Oké...' zei Erik traag. 'Ik wilde eigenlijk voorstellen om een ijsje te gaan eten, maar als jullie zo vol zijn van dit boek, dan zal ik jullie niet langer storen...'

'IJs!' Annie en George sprongen op. Emmett bleef op het bed zitten, met het boek in zijn handen.

'Hier aarde voor Emmett!' zei Annie. 'IJsjes! Je weet wel, dat koude, zoete spul waar kinderen dol op zijn! Kom op!'

Emmett keek haar onzeker aan. 'Vinden jullie het dan leuk als ik ook meega?' vroeg hij.

'Ja!' zeiden Annie en George. 'Natuurlijk!'

## 7

De volgende ochtend was het mooi en rustig weer; een perfecte dag om de ruimte in te gaan. Annie maakte George en Emmett heel vroeg wakker.

'Het is spaceshuttledag!' gilde ze in George' oor. George kreunde en draaide zich nog eens om. 'Opstaan! Opstaan!' zei ze, en ze trok de deken van hem af en danste ermee door de kamer. 'Dit is de spannendste dag van ons leven!'

Emmett zat in één keer rechtovereind in bed. 'Ik ben zo blij dat ik...' Hij sprong zijn bed uit en rende naar het toilet.

Annie pakte George' hand vast en trok hem uit zijn bed. Hij stond rechtovereind maar sliep nog half. Emmett slenterde de kamer weer in. Hij zag een beetje wit.

'Boom!' zei Annie tegen hen. 'Nu. We moeten een plan opstellen.'

In hun pyjama's slopen ze de trap af en liepen naar de veranda. George klom de boom in en Annie klom snel achter hem aan. Emmett bleef eenzaam achter.

'Kom op, Emmett,' zei Annie. 'Naar boven!'

'Ik kan het niet,' zei Emmett verdrietig.

'Hoezo niet?'

'Ik ben nog nooit in een boom geklommen,' gaf hij toe. 'Ik weet niet hoe dat moet.'

'O, jemig, van welke planeet kom jij?' riep Annie uit. 'Wat doe je dan als je uit school komt?'

'Computerprogramma's schrijven,' zei Emmett somber. 'In m'n eentje.'

Annie zuchtte luid, maar George sprong in één keer uit de boom, pakte Emmett beet en gaf hem een voetje. George duwde van beneden en Annie trok van boven, en met wat gestuntel en een paar schrammen, lukte het ze om de kleine Emmett de hoge boom in te krijgen. Emmett keek met grote ogen naar beneden.

'Goed dan,' zei Annie zelfverzekerd, 'vandaag gaan we een avontuur beleven. We gaan iets heel moedigs en iets heel bijzonders doen. En als het lukt, redden we de planeet aarde. Dat betekent dat we niet gaan huilen of jengelen of naar mijn moeder gaan. Onthoud je dat, Emmett?'

Emmett hield zich krampachtig vast aan een tak en knikte. 'Ja, Annie,' zei hij gehoorzaam.

'Jij bent nu onze vriend,' zei Annie tegen hem. 'Dus als je iets dwarszit, dan zeg je dat tegen mij of tegen George, maar je gaat niet bij een volwassene lopen zeuren.'

'Ja, Annie,' zei hij nog een keer. Hij glimlachte even. 'Ik heb nog nooit een vriend gehad.'

'En nu heb je er twee,' zei George.

'En we hebben jouw hulp nodig,' voegde Annie eraan toe. 'Jij bent superbelangrijk voor deze missie, Emmett. Dus je mag ons niet laten barsten.'

Hij hapte naar lucht. 'Dat zou ik nooit doen!' zei hij. 'Nooit van mijn hele leven!'

'Oké, te gek!' zei George. 'Helemaal geweldig! Maar wat gaan we nou eigenlijk doen, Annie?'

'We gaan,' zei ze, 'een geweldige kosmische reis maken. Luister dus goed, redders van de planeet aarde, en bereid je voor, want straks sta je oog in oog met het universum. Dit is het plan: we gaan ons zo meteen aankleden, dan pakken we Kosmos, zoeken mijn vader en gaan met hem mee naar het Global Space Agency. Als we daar zijn, kan het beginnen...'

# BEMANDE RUIMTEVLUCHTEN

## 'The Eagle has landed!'

De adelaar is geland! Dit is de radioboodschap die de Amerikaanse astronaut Neil Armstrong op 20 juli 1969 vanaf de maan naar het vluchtleidingscentrum in Houston, Texas, verstuurde. De Eagle was een maanlander die zich had losgemaakt van het ruimtevaartuig Columbia die op bijna 100 kilometer hoogte in een baan om de maan draaide. Terwijl astronaut Michael Collins aan boord van de Columbia bleef, landde de Eagle in een gebied dat de Zee van de Rust wordt genoemd. Omdat er op de maan echter geen vloeibaar water is, landden ze niet met een plons! Neil Armstrong en Buzz Aldrin, de twee astronauten in de Eagle, waren de eerste mensen op de maan.

Armstrong stapte (met zijn linkervoet) als eerste uit de capsule op de maan. Buzz Aldrin volgde hem en keek naar de pikzwarte hemel, de inslagkraters, de lagen maanstof en zei: 'Prachtige troosteloosheid.' Alsof het was afgesproken, stopten ze snel maanstenen en maanstof in hun zakken: als ze snel weg moesten, dan hadden ze in elk geval een souvenir.

De astronauten bleven echter een dag op de maan en liepen bijna een kilometer. Deze missie van de Apollo 11 blijft een van de meest inspirerende reizen naar het onbekende die de mens ooit heeft ondernomen. De drie kraters ten noorden van de Zee van de Rust zijn vernoemd naar de drie astronauten van de missie: Collins, Armstrong en Aldrin.

## Wandelen op de maan

Inclusief de bemanning van Apollo 11 hebben er nu twaalf astronauten op de maan gelopen. Elke missie naar de maan bleef gevaarlijk. Dit werd maar al te duidelijk tijdens de Apollo 13-missie in april 1970, toen een explosie aan boord van de servicemodule betekende dat niet alleen de astronauten maar ook de mensen op de grond heldhaftige inspanningen moesten leveren om het ruimtevaartuig weer veilig op de aarde te krijgen.

Alle Apollo-astronauten (ook die van de gevaarlijke Apollo 13-missie) kwamen veilig terug. Astronauten zijn heel goed getrainde specialisten die een achtergrond hebben in de luchtvaart, techniek en wetenschap. Om een ruimtemissie te lanceren en te voltooien heb je echter mensen nodig die een heleboel verschillende dingen goed kunnen. De Apollo-missies waren, net als alle andere missies, het resultaat van het werk van tienduizenden mensen die de apparaten, computers en programma's bouwden en bedienden.

De Apollo-missies brachten 380 kilo materiaal van de maan terug naar de aarde zodat dit kon worden bestudeerd. Hierdoor kwamen wetenschappers op aarde heel veel te weten over de maan en haar relatie met de aarde.

De laatste missie naar de maan was Apollo 17, die op 11 december 1972 op de hooglanden van Taurus-Littrow landde. Hij bleef daar drie dagen. Toen de bemanning van Apollo 17 29.000 kilometer van de aarde was, nam men een foto van de aarde, die toen vol in het zonlicht stond. Deze foto is bekend onder de naam 'The Blue Marble' (de blauwe knikker) en het is waarschijnlijk de meest verspreide foto ooit. Sindsdien is er niemand meer zo ver van de aarde geweest om zo'n foto te kunnen maken.

## De eerste man in de ruimte

De astronauten van de Apollo-missies waren niet de eerste mensen die in de ruimte vlogen. Sovjetruimtevaarder Yuri Gagarin, die op 12 april 1961 in het ruimtevaartuig Vostok rond de aarde cirkelde, was de eerste mens in de ruimte.

Zes weken na Gagarins historische prestatie kondigde de president van de Verenigde Staten aan dat er binnen tien jaar een mens op de maan moest staan. NASA, de net opgerichte National Aeronautics and Space Administration, ging aan het werk om te zien of ze net als de Russen bemande ruimtevluchten konden maken, zelfs al hadden zij toen nog maar 16 minuten ruimteervaring. De ruimtewedloop om als eerste op de maan te staan was begonnen!

# BEMANDE RUIMTEVLUCHTEN

## Mercury, Gemini en de ruimtewandelingen

Het Amerikaanse project Mercury was opgestart om te onderzoeken of mensen in de ruimte konden overleven. In 1961
was astronaut Alan Shepard de eerste Amerikaan die een
suborbitale ruimtevlucht van een kwartier maakte. Het jaar
daarop was John Glenn de eerste NASA-astronaut die in een
baan om de aarde vloog.

Het volgende project van de NASA was Gemini. Dit was een
heel belangrijk project omdat astronauten leerden hoe ze
vaartuigen in de ruimte konden koppelen. Ze konden ook
oefenen met de ruimtewandelingen die ze EVA's noemden.
De allereerste ruimtewandeling werd echter in 1965 gemaakt
door de Russische ruimtevaarder Alexei Leonov. De Russen
landden echter niet op de maan; die eer ging in 1969 naar de
Verenigde Staten.

## De eerste ruimtestations

Toen de race om als eerste op de maan te landen voorbij was,
verloren veel mensen hun interesse in de ruimteprogramma's.
Maar zowel de Russen als de Amerikanen hadden nog grote
plannen. De Russen werkten aan Almaz (Diamant), een super-
geheim project. Ze wilden een bemand ruimtestation in een
baan om de aarde brengen. Na een mislukte eerste poging
hadden de volgende versies, Saljoet 3 en Saljoet 5, meer
succes, al werkten ze geen van beide veel langer dan een jaar.

De Amerikanen ontwikkelden hun eigen versie, Skylab, een
ruimtestation dat in 1973 acht maanden in een baan om
de aarde draaide. Skylab had een telescoop aan boord die
de astronauten gebruikten om naar de zon te kijken. Ze
brachten foto's van de zon terug waaronder röntgenbeelden
van zonnevlammen en -vlekken.

## Handdruk in de ruimte

In deze tijd, halverwege de jaren zeventig, waren de USSR en de Verenigde Staten verwikkeld in de Koude Oorlog. Dit betekende dat de twee partijen niet echt aan het vechten waren, maar dat ze elkaar niet mochten en niet vertrouwden. In de ruimte begonnen de twee landen echter samen te werken. In het Apollo-Soyuz project in 1975 was er sprake van de eerste 'handdruk in de ruimte' tussen de twee supermachten. Apollo, het ruimtevaartuig van de Verenigde Staten, werd aan de Soyuz van de Sovjet-Unie gekoppeld en de Amerikaanse astronaut en Russische kosmonaut, die elkaar vanwege de Koude Oorlog op aarde moeilijk zouden kunnen ontmoeten, schudden elkaar in de ruimte de hand.

## De shuttle

De spaceshuttle was een nieuw type ruimtevaartuig. In tegenstelling tot voorgaande vaartuigen was hij opnieuw bruikbaar en hij was ontworpen om naar de ruimte te vliegen als een raket, maar ook om naar de aarde terug te zweven en als een vliegtuig op een landingsbaan te landen. De spaceshuttle was ook zo ontworpen dat hij niet alleen vracht, maar ook astronauten naar de ruimte kon brengen. Columbia, de eerste spaceshuttle van de Verenigde Staten, werd in 1981 gelanceerd.

## Het ISS

In 1986 lanceerden de Russen het ruimtestation Mir, dat 'wereld' of 'vrede' betekent.

Mir was het eerste uitgebreide, grote ruimtestation dat rond de aarde cirkelde.

Het was in tien jaar tijd gebouwd in de ruimte en ontworpen als een ruimtelaboratorium zodat wetenschappers experimenten konden uitvoeren in een omgeving waar bijna geen zwaartekracht was.

Mir was zo groot als zes bussen bij elkaar en werd bewoond door drie tot zes astronauten per keer.

 Het **internationaal ruimtestation** (iss) is in de ruimte gebouwd en de constructie begon in 1998. Deze onderzoeksfaciliteit maakt in ongeveer 90 minuten een baan rond de aarde en is een symbool van internationale samenwerking tussen wetenschappers en astronauten van verschillende landen. Het iss wordt bevoorraad door de spaceshuttle van de NASA, het ruimteschip Soyuz van Rusland en verschillende Automated Transfer Vehicles van de Europese Ruimtevaartorganisatie ESA. De bemanning heeft ook permanente reddingsvaartuigen zodat de astronauten in geval van nood het iss kunnen verlaten.

 ## De toekomst

De spaceshuttle zal tot 2010 dienstdoen. Daarna zal het transport van goederen en bemanning worden verzorgd door de Russische Soyuz en het ruimteschip Progress.

NASA werkt aan een nieuw type ruimteschip dat de Orion heet en dat ons hopelijk opnieuw naar de maan zal brengen en misschien nog wel verder, naar de rode planeet Mars.

In de toekomst is er wellicht ook een heel nieuwe manier van reizen door de ruimte mogelijk. Toeristen kunnen dan misschien een uitstapje naar de ruimte maken. Misschien kunnen we over een tijdje zelfs allemaal op vakantie naar de maan!

De eerste etappe van hun kosmische reis, legde Annie uit, zou hen naar het lanceerplatform van het Global Space Agency brengen. Daar zouden ze naar de lancering van een spaceshuttle kijken. Het Agency had door heel Amerika verschillende afdelingen en elke afdeling was verantwoordelijk voor verschillende delen van de ruimtevaart. In Florida, waar zij waren, werd de lancering van spaceshuttles en ruimtesondes begeleid. In Houston, in de staat Texas, namen ze de leiding van bemande ruimtevaarten over zodra het ruimteschip in de lucht was. In Californië werden de onbemande ruimtesondes gevolgd zodra ze in de kosmos waren. Soms ging Erik naar de andere afdelingen, maar hij had besloten om met zijn gezin op één plek in Florida te gaan wonen omdat ze anders keer op keer moesten verhuizen.

Annie zei tegen de anderen dat ze in het hoofdgebouw van het Global Space Agency moesten zien te komen zodat ze hun ruimtepakken konden pakken die Erik daar bewaarde. Alleen dan konden ze, net als met een shuttle, de aarde verlaten en de ruimte ingaan. Zonder hun pakken zou het veel te koud zijn en ze hadden zuurstof nodig om te ademen. Bovendien moesten ze kunnen blijven communiceren met Kosmos.

Het was echter behoorlijk onmogelijk om als kind zomaar het Global Space Agency binnen te gaan: je had er niet alleen een speciale pas voor nodig, je moest ook een auto hebben om er te kunnen komen. Annie en George hadden wel door de ruimte gereisd, maar geen van twee wist hoe je een gewone aardse auto moest besturen.

Voor de eerste etappe van hun reis hadden ze dus Annies vader nodig. Hij moest hen naar het beginpunt van hun ontdekkingsreis brengen. Natuurlijk zouden ze Erik niet vertellen dat hij hun kosmische taxichauffeur was. Hij zou denken dat ze gewoon met z'n allen een dagje uit zouden gaan en een bezoek zouden brengen aan het Global Space Agency. Het grote plan, dat ze wilden uitvoeren zodra hij hen even uit het oog verloor, hielden ze geheim.

'Als niemand kijkt...' ging Annie verder.

'Hoe bedoel je: als niemand kijkt?' onderbrak George haar. 'Volgens mij merkt je vader het direct als wij plotseling verdwenen zijn.'

'Nee, hoor!' zei Annie. 'Op het moment dat de spaceshuttle de lucht in gaat, kijkt hij naar boven en heeft hij nergens anders meer oog voor. Dus dat is het moment waarop ik jullie een teken zal geven. Het enige wat we moeten doen is de ruimtepakken vinden, die aantrekken, Kosmos opstarten en via de deuropening de ruimte ingaan. Het is echt heel eenvoudig,' zei ze. 'Dat zijn grote plannen altijd. Einstein zei het al.'

'Volgens mij had hij het over wetenschappelijke theorieën,' zei George vriendelijk. 'Niet over kinderen die stiekem door het heelal reizen.'

'Als Einstein nu hier zou zijn,' hield Annie vol, 'dan zou hij zeggen: Annie Bellis, je bent de *coolste cat* die ik ooit in pyjama heb gezien.'

Emmett zag lijkbleek. 'Ga ik ook de ruimte in?' vroeg hij bezorgd. 'Ik bedoel, ik wil echt wel, maar ik ben heel erg allergisch en misschien...'

'Nee, Emmett,' zei Annie. 'Jij hebt de leiding over de kosmische reis. Jij blijft met Kosmos op aarde en geeft ons aanwijzingen. Je hoeft dus niet bang te zijn dat je in de ruimte een pinda tegenkomt. Dat zal niet gebeuren.'

'O, pff...' zei Emmett opgelucht. 'Mijn moeder zou het me nooit vergeven.'

'En wat gaan wij doen?' vroeg George.

'Wij,' zei Annie, 'dat wil zeggen: jij en ik, gaan naar Mars. *The truth is out there*, George. En wij gaan die waarheid achterhalen.'

Vanaf het grote balkon boven in het gebouw van het Global Space Agency konden George, Annie en Emmett helemaal tot aan de plek kijken waar de spaceshuttle geduldig stond te wachten tot hij gelanceerd zou worden. Eromheen stond de stelling die hem overeind hield: een stalen steiger van stangen en verbindingen die het enorme ruimteschip ondersteunden. Een soort trein-rails liep vanaf het platform naar het grootste gebouw dat George ooit had gezien.

'Zie je dat daar?' zei Erik, en hij wees naar het grote gebouw. 'Daar maken ze de spaceshuttle helemaal in orde voordat hij de ruimte ingaat. Het heet de *Vehicle Assembly Building* en het is zó groot dat er binnen een spaceshuttle kan staan. Het gebouw is zo hoog dat het zijn eigen weer heeft; soms vormen zich binnen in het gebouw wolken, terwijl buiten de zon schijnt.'

'Bedoel je dat het binnen kan regenen?' vroeg Annie.

'Precies,' zei Erik. 'Als je in dat gebouw werkt, moet je een paraplu meenemen! Als de orbiter – dat is het deel van de shuttle dat de orbit in gaat – klaar is voor ver-trek, verlaat hij het gebouw via die rails en dan wordt hij naar het platform gebracht waar hij wordt klaarge-maakt voor de lancering.'

Met zijn zwart-witte neus die naar de hemel wees, leek de orbiter best klein, maar dat kwam doordat de enorme oranje brandstoftank eronder nog veel groter was. Aan beide kanten van de tank bevonden zich twee lange, witte stuwraketten die elk moment ontstoken konden worden.

'Kijk, ze hebben de armen van de stellage wegge-haald,' zei Erik. 'Dat betekent dat alle luiken nu geslo-ten zijn en dat de bemanning die de shuttle in gereedheid heeft gebracht het platform heeft verlaten.'

'Precies zoals bij mijn computerspel,' zei Emmett trots. 'Daarmee kun je leren hoe je een spaceshuttle moet bemannen.'

'Dat wil ik dan weleens uitproberen,' klonk een stem.

George draaide zich om. Achter hen stond een vrouw in een helderblauwe Global Space Agency-overall. George wist dat dit betekende dat zij een echte astronaut was.

'Dat is goed,' zei Emmett blij. 'Daar kan ik wel voor zorgen. Als u vanavond naar ons huis komt, dan laat ik u zien hoe het werkt.' Hij merkte dat Annie hem doordringend aankeek. 'Of een andere keer,' voegde hij er snel aan toe. 'We hebben het een beetje druk en misschien heb ik vanavond niet echt tijd. U zou morgen kunnen komen, als u dat wilt. Als we terug zijn. Ik bedoel, niet dat we ergens heen gaan, maar – au!'

Annie had hem een behoorlijk harde stomp gegeven.

'Ik probeerde alleen maar aardig te zijn!' fluisterde hij in Annies oor. 'Ik dacht dat je had gezegd dat ik niet moest...'

'Sst! Dat heb ik ook gezegd,' fluisterde ze terug, 'maar vrienden maken betekent niet dat je ze direct alles over ons plan hoeft te vertellen!'

'Maar hoe maak ik dán vrienden?' vroeg Emmett beteuterd.

'Luister, we gaan eerst de aarde redden, oké?' zei Annie. 'En morgen leer ik je hoe je vrienden maakt en hoe het werkt? Oké? Deal?'

'Deal,' zei Emmett ernstig. 'Dit wordt toch nog een megagoede vakantie.'

'Maar u weet toch al hoe je een spaceshuttle moet bemannen?' vroeg George aan de vrouw, om de aandacht van Emmett af te leiden. 'U bent toch een astronaut?'

'Ja, dat klopt,' zei ze. 'Ik ben een astronaut. Ik ben wat ze een "missiespecialist" noemen. Dat wil zeggen dat ik een wetenschapper ben die de ruimte ingaat om experimenten uit te voeren. Ik maak ruimtewandelingen en ik help mee met het bouwen van onderdelen voor het Internationaal Ruimtestation. Als we in het ruimtevaartstation zijn, begint mijn taak.'

'Als jullie in het ruimtevaartstation zijn, zweven jullie dan in het rond?' vroeg Annie.

'Ja, dat klopt,' zei de astronaut. 'Het is heel grappig, maar het is ook behoorlijk lastig om dingen te doen die op aarde helemaal geen moeite kosten, zoals eten en drinken. We moeten door rietjes drinken en het eten zit in pakketjes; als je die openmaakt moet je snel met je vork prikken en hopen dat het eraan blijft zitten anders vliegt het zo in het rond.'

'Houden jullie weleens een eetgevecht?' vroeg George. 'Dat lijkt me gaaf!'

'Maar... hoe gaan jullie dan naar de wc?' vroeg Emmett met grote ogen.

'Emmett!' riep Annie uit. 'Sorry, hoor,' zei ze tegen de astronaut. 'Soms schaam ik me echt voor hem.'

'O, nee!' De vrouw lachte. 'Je hoeft je helemaal niet te schamen voor je broer. Het is een heel normale vraag.'

Annie keek heel vies omdat iemand dacht dat Emmett haar broer was.

'Iedereen vraagt altijd hoe je in een ruimteschip naar het toilet moet,' zei de astronaut. 'En in het begin is het inderdaad lastig. We moeten een speciale training volgen om te leren hoe je naar het toilet moet gaan.'

'Moet je toiletlessen volgen om een astronaut te kunnen worden?' Emmett probeerde zijn lachen in te houden en liep rood aan.

'Het is slechts een van de vele dingen die je moet leren als je door de ruimte wilt reizen,' zei de astronaut. 'We moeten een paar jaar lang leren om de dingen te kunnen die je tijdens een missie van twee weken nodig hebt. We moeten leren hoe het is om gewichtloos te zijn en hoe je de robotarm van de shuttle moet bedienen en hoe alle andere elektronische en mechanische apparatuur werkt. Wil een van jullie misschien astronaut worden?'

'Ik wel,' zei Annie. 'Maar het hangt ervan af. Ik wil namelijk al natuurkundige worden én voetballer, dus misschien heb ik geen tijd voor al die trainingen.'

'En hoe zit het met jullie twee?' vroeg de astronaut aan George en Emmett. 'Willen jullie de ruimte ingaan?'

'O, ja!' zei George. 'Dat wil ik het liefst van alles.'

Emmett schudde zijn hoofd. 'Ik heb last van reisziekte.'

'Dat weten we,' zei Annie. Op de heenweg had hij bijna in haar tas gekotst; de rugtas waar Kosmos in zat! Ze had de tas nog net op tijd kunnen wegtrekken en Emmetts hoofd door de raamopening naar buiten kunnen duwen, anders was het rampzalig geweest. Overigens was het ook nu nog geen pretje geweest.

Erik kwam naast hen staan. Hij keek een beetje bezorgd. 'Hallo!' zei hij tegen de astronaut. 'Ik ben Erik. Erik Bellis van het Mars Onderzoekscentrum.'

'De beroemde Erik!' riep de vrouw uit. 'Ik ben Jenna. Wat leuk om kennis te maken! Ik wil je al zo lang ontmoeten! Het onderzoek dat je doet naar het leven in het universum is fantastisch. We vinden het heel spannend hoe het met Homer gaat en wat hij op Mars zal tegenkomen. We kunnen niet wachten tot de resultaten bekend worden gemaakt. We zijn heel enthousiast!'

'Ah, ja...' Erik fronste. 'Eh, ja, wij zijn... ook heel enthousiast.' Maar hij klonk allesbehalve enthousiast. 'Ik zie dat je al kennis hebt gemaakt met de kinderen.' Hij frunnikte aan zijn pieper die af zou gaan als er iets belangrijks zou gebeuren, op aarde of op Mars.

'Ja, zeker!' zei Jenna. 'Zijn ze allemaal van jou?'

'Eh, nee,' zei Erik. 'Alleen Annie, de blonde. De rest heb ik op de een of andere manier om me heen verzameld.' Hij lachte terwijl hij het zei. 'Dit zijn haar vrienden, George en Emmett.' Plotseling begon het apparaatje in zijn hand hard te piepen. 'O, hemel!' zei hij, en hij keek op. 'Ik heb een noodoproep ontvangen,' zei hij tegen Jenna. 'Ik moet onmiddellijk naar het controlecentrum.'

'Je kunt de kinderen wel bij mij laten,' zei Jenna. 'Ik weet zeker dat het goed zal gaan.' De kinderen schuifelden met hun voeten heen en weer en keken nogal schuldig. 'Je kunt me oproepen als je klaar bent,' ging ze opgewekt verder, 'dan laat ik je weten waar je de kinderen kunt ophalen.'

'Dank je,' zei Erik, en hij was al op weg naar de trap. Toen hij weg was, begon de klok aan de muur weer te lopen. De klok gaf de tijd tot aan de lancering aan, maar zo nu en dan werd hij stilgezet om extra controles uit te voeren. Alles werd gecontroleerd: van de lanceersystemen en de computers in de orbiter tot het weer op verschillende plekken op aarde. Als alle controles waren uitgevoerd en iedereen tevreden was, werd de klok weer aangezet. De lancering zou over een paar seconden plaatsvinden en toen iedereen hardop begon af te tellen, greep Annie George' hand.

'Vijf... vier... drie... twee... een!'

Het eerste wat ze zagen was een grote, zachte grijswitte wolk onder aan de spaceshuttle, die langzaam opbolde. Toen de spaceshuttle van de grond loskwam, zagen George en Annie onder de staart een felle vuurstraal. De spaceshuttle ging omhoog alsof hij aan een onzichtbaar touw omhooggetrokken werd. Het licht eronder was zo helder dat het leek of de hemel openscheurde en er elk moment een engel of een ander goddelijk wezen kon verschijnen. Het ruimteschip klom steeds hoger en de enorme kracht van de straal eronder stuurde hem recht-op de lucht in.

'Het is zo stil,' fluisterde George tegen Annie. 'Hij maakt helemaal geen geluid.'

Tot dat moment was het alsof het ruimteschip zijn kosmische reis in totale stilte begon, alsof ze naar een televisie keken waarvan het geluid uit stond. Maar een paar seconden later kwam het geluid over de tussenliggende vlakte aangerold. Eerst klonk er een vreemd soort krakend geluid; daarna bereikte het gedonder hen op volle sterkte: het geluid leek hen wel op te slokken, zo overweldigend was het. Het was zo hard dat het al het andere buitensloot. Ze voelden het gedreun binnen in hun borstkas en het was zo intens dat ze bang waren dat de schokgolf hen achterover zou duwen.

Terwijl het ruimteschip zich met een boog van hen verwijderde en een spoor van witte rook achterliet, trok het gebrul van de motoren door hun hele lichaam. Ze keken hoe het ruimteschip steeds verder omhoogklom en zagen hoe de witte wolken een figuur aan de blauwe hemel vormden.

'Het lijkt wel een hart,' zei Annie dromerig. 'Alsof het wil zeggen: veel liefs van de spaceshuttle.' Op dat moment schrok ze wakker en bedacht ze dat ze in actie moest komen. Ze keek in het rond en zag dat alle volwassenen nog steeds naar boven staarden. Ze pakte George en Emmett beet.

'Oké, ik tel af,' zei ze, 'en dan rennen we weg. Zijn jullie er klaar voor? Vijf, vier, drie, twee, een...'

Op aarde bevinden zich heel veel atomen die zich dicht tegen elkaar aan bewegen en die elkaar in beweging brengen. Breng je het ene atoom in beweging dan brengt die het atoom ernaast in beweging en die brengt het volgende atoom in beweging, en zo verder. De beweging verplaatst zich op die manier via de massa atomen. Veel kleine bewegingen kunnen op die manier een stroom trillingen veroorzaken die zich daardoor verplaatst. De lucht boven het oppervlak van de aarde bestaat uit een groot aantal gasatomen en moleculen die tegen elkaar aan botsen. Op die manier kunnen trillingen worden doorgegeven. De trillingen die in staat zijn onze oren te stimuleren, noemen we geluid.

Geluid kan zich verplaatsen maar dat kost tijd, want elk atoom moet de trilling doorgeven aan het atoom ernaast. Hoe snel dit gaat hangt af van de tijd die nodig is om het volgende atoom te beïnvloeden en dit hangt weer af van de aard van het materiaal waarin de atomen zich bevinden en andere dingen zoals de temperatuur. In de lucht verplaatst geluid zich ongeveer 343 meter per seconde, bijna één miljoen keer langzamer dan het licht. Dit is de reden dat toeschouwers bij een lancering de spaceshuttle bijna onmiddellijk in beweging zien komen maar het even duurt voordat ze ook het geluid horen. Hetzelfde verschijnsel doet zich voor bij onweer: je ziet eerst de flits en hoort pas later de donder. Dit is de trap tegen de luchtmoleculen die veroorzaakt wordt door de plotselinge, heftige elektrische ontlading. In de zee verplaatst geluid zich ongeveer vijf keer sneller dan door de lucht.

In de ruimte is de situatie heel anders. Tussen de sterren bevinden zich heel weinig atomen dus kunnen ze niets aan elkaar doorgeven. Als zich in het ruimteschip zelf lucht bevindt, verplaatst het geluid zich daar normaal. Een steentje dat tegen de buitenkant aan komt, brengt het materiaal van het ruimteschip in beweging en vervolgens de lucht binnen, dus dat zou je gewoon moeten horen. Geluiden die op een planeet worden voortgebracht of in een ander ruimteschip zullen je echter niet bereiken, tenzij iemand de geluidsgolven zou omzetten in radiogolven en jij een radio-ontvanger bij je hebt die de radiogolven weer kan omzetten in geluidsgolven. Radiogolven hebben namelijk net als licht geen materiaal nodig om gedragen te worden.

In de ruimte zijn ook natuurlijke radiogolven die worden veroorzaakt door sterren en ver weg gelegen sterrenstelsels. Radioastronomen onderzoeken deze golven op dezelfde manier als andere astronomen zichtbaar licht in de ruimte onderzoeken. Omdat radiogolven niet zichtbaar zijn en we radiogolven kunnen omzetten in geluidsgolven, wordt radioastronomie soms gezien als onderzoek waarbij je luistert in plaats van kijkt. Radioastronomen doen echter hetzelfde als lichtastronomen: ze bestuderen de elektromagnetische golven in de ruimte. Geluid bestaat in de ruimte eigenlijk niet.

## 8

Terwijl de spaceshuttle in de verte uit het zicht verdween, verdwenen ook de kinderen. Ze gingen de trap af die Erik ook had genomen en kwamen in een grote ruimte met lange gangen aan alle kanten.

'Volgens mij moeten we deze kant op,' zei Annie, maar ze klonk niet echt zeker van zichzelf. De anderen renden achter haar aan, langs de ingelijste foto's van astronauten en tekeningen van de kinderen van de astronauten, die aan de muur hingen als herinnering aan elke ruimte-missie.

'Eh, laten we deze deur proberen.' Annie duwde hard tegen de deur en het volgende moment waren ze in een ruimte waar gigantische machineonderdelen stonden.

'Oeps,' zei ze, en ze stapte snel naar achteren waarbij ze tegen George en Emmett opbotste. 'Verkeerde deur dus.'

'Weet je eigenlijk wel waar we naartoe moeten?' vroeg George.

'Natuurlijk weet ik dat!' zei Annie kriegelig. 'Ik ben alleen een beetje in de war omdat alles hier op elkaar lijkt. We moeten de steriele ruimte hebben. Dat is een heel schone ruimte waar ze de pakken bewaren. Laten we deze kant op gaan.'

De moed zonk George in de schoenen als hij eraan

dacht dat Annie de weg zou moeten vinden in het sterrenstelsel. Als ze de weg in het Global Space Agency niet eens kon vinden, waar ze volgens haar al heel vaak was geweest, kon ze hem dan wel naar Mars brengen en weer terug?

Maar Annie liet zich niet van de wijs brengen. Ze trok hen mee naar een andere deur, die ze openschoof. Op een lichtgevend scherm aan de muur na, was de ruimte helemaal donker. Er stond een man die naar een afbeelding van Saturnus wees. 'En we kunnen dus zien dat de ringen van Saturnus,' zei hij, 'bestaan uit stof en stenen die in een cirkel rond de gigantische gasplaneet draaien.'

George dacht terug aan de kleine steen die hij had weten te bemachtigen toen Annie en hij op een komeet een reis door het zonnestelsel maakten. Helaas had een meester op George' school gedacht dat de waardevolle steen gewoon een handvol gruis was en George had het van de meester in de prullenbak moeten gooien. Moet je je voorstellen, dacht George, moet je je voorstellen dat ik die steen hier mee naartoe had kunnen nemen. Wat voor een informatie over het universum had die steen van Saturnus niet kunnen opleveren?

Ze kwamen bij een deur waar KOMETEN op stond, maar die zat op slot.

'Ping-pong!' klonk het uit de tas op Annies rug. Kosmos leek zichzelf te hebben opgestart.

'Kosmos!' zei George. 'Je moet stil zijn, want we proberen de steriele ruimte te vinden en niemand mag ons zien.'

'Klink ik of dat me iets kan schelen?' kwam er als antwoord. 'Wat nou? Wat nou?'

'O, ssst!' zei George snel.

'Wil je soms met me dansen?' klonk Kosmos' eentonige stem.

'Natuurlijk niet, je bent een computer,' zei George. 'Waarom zou ik met je willen dansen?'

'Begrijp je dan niet wat ik wil?'

'Emmett, zorg dat hij zijn mond houdt,' beval Annie.

'Eigenlijk is het beter om hem aan te laten,' zei Emmett. 'Als ik hem nu afsluit en hem dan weer snel moet opstarten, geeft hij misschien een foutmelding.'

'Kijk, daar!' zei George, en hij wees naar een dubbele deur met een bordje STERIELE RUIMTE erop. 'Hangen daar de pakken?'

'Daar is het!' zei Annie. 'Nu weet ik het weer. Ik ben er nooit binnen geweest, maar daar bewaren ze alle spullen die mee de ruimte in gaan. Het is een supersuperschone omgeving zodat er geen insecten en zo mee de ruimte in gaan.'

'O, ja,' zei Emmett betweterig. 'Het is heel erg belangrijk dat er geen microben en zo van de aarde in de ruimte terechtkomen. Anders kunnen we nooit weten of we een bewijs van leven in de ruimte hebben gevonden of dat we zelf sporen hebben achtergelaten.'

Annie rende naar de deuren. 'Kom achter me aan!' zei ze. 'De meeste mensen zijn boven om naar de lancering te kijken.'

Ze gingen naar binnen en verwachtten in de steriele ruimte te komen, maar achter de deuren stond hun een verrassing te wachten. Plotseling stonden ze op een lopende band. Wolken lucht werden van alle kanten naar hen toe geblazen en de lopende band begon te bewegen. Er kwamen borstels uit het plafond en sproeiers en ze werden schoongewreven met een grote lap.

'Wat gebeurt er?' schreeuwde George.

'We worden schoongemaakt!' riep Annie terug.

'Ahhhh!' schreeuwde Kosmos. 'Ze morrelen aan m'n poorten!'

George zag een paar robotarmen die Annie oppakten en in een wit plastic pak hesen. Het volgende moment kreeg ze een kapje voor haar gezicht en een paar handschoenen aan. Voor hij iets kon doen, werd ze vastgegrepen, van de lopende band gehaald en verdween ze achter

twee klapdeuren. Toen was het zijn beurt. Hij en Emmett werden door de machine op dezelfde manier uitgerust en door de deuropening geduwd en het volgende moment bevonden ze zich in een spierwitte ruimte.

Het was net alsof je tegen de achterkant van iemands witte tanden keek, dacht George. Aan de ene kant stond een robot die nog niet af was. Aan de andere kant stond een onderdeel van een soort satelliet. Alles glom en was zo helder dat het bijna onwerkelijk leek. Zelfs de lucht voelde op de een of andere manier ijler en transparanter aan dan normaal. Aan de muur hing een bord waarop stond: 100.000.

'Dat geeft aan hoeveel deeltjes er hier in de lucht zitten,' fluisterde Emmett door het kapje voor zijn gezicht. 'Dit is niet de steriele ruimte – daar heb je een score van 10.000, dat wil zeggen dat er in één kubieke voet lucht niet meer dan 10.000 stofdeeltjes zitten die groter zijn dan een halve micron! En een micron is een duizendste deel van een millimeter.'

'Is het hier schoon genoeg om naar Mars te gaan?' vroeg George. 'Ik bedoel, misschien nemen we bewijsmateriaal vanaf de aarde mee naar Mars en als Homer dat dan daarna vindt, dan verpesten we het hele onderzoek...'

'Theoretisch zou dat inderdaad kunnen gebeuren,' zei Emmett. Hij klonk veel zelfverzekerder nu hij doorhad dat ze ergens waren waar zijn kennis goed van pas kwam. 'Maar het hangt onder andere af van: a) of we Kosmos aan de praat kunnen krijgen, b) of het jullie echt lukt om naar Mars te gaan, c) of Annies buitenaardse boodschap echt een dreiging is om de aarde te vernietigen. Als ze gelijk heeft – en ik moet erbij opmerken dat die kans erg klein is – en jullie gaan niet, dan zal er sowieso geen leven op aarde meer zijn. Dus dan maakt het niks uit.'

In een hoek van de steriele ruimte had Annie een paar ruimtepakken gevonden, maar ze waren knaloranje en ze leken helemaal niet op de pakken die Annie en George de vorige keer tijdens hun reis door de ruimte hadden aangehad.

'Deze zijn niet van ons!' zei Annie teleurgesteld. 'Deze pakken gebruiken ze voor de spaceshuttle. Ze zijn heel anders dan de pakken die mijn vader en ik hadden.' Ze zocht verder. 'Mijn vader zei dat hij ze voor de zekerheid hier zou bewaren,' zei ze. 'En ik zei nog tegen hem: wat als iemand anders ze per ongeluk pakt? En hij zei dat dat niet zou gebeuren omdat hij er iets aan zou hangen waardoor je kon zien dat het prototypen waren en dat ze niet gebruikt konden worden voor ruimtemissies.'

Emmett trok aan het plastic dat de machine om Annies rugtas had gewikkeld. Hij haalde Kosmos eruit en tegelijkertijd kwam de gele *Reisgids voor de ruimte* tevoorschijn.

'Oké, computertje,' zei hij, en hij knakte met zijn vingers. 'Operatie Buitenaardse Levensvorm kan beginnen. Waar gaan we heen, gezagvoerder George?'

'Kijk eerst maar of hij de deuropening wil maken,' zei George. 'We moeten naar Mars, naar de omgeving van de noordpool. Doel is Homer.'

'Bingo!' riep Annie. 'Ik heb de pakken!' Ze kwam aanlopen met een arm vol ruimtepakken die in plastic verpakt zaten en waarop stond: PROTOTYPEN – NIET GEBRUIKEN. Ze gooide er een George' kant op. 'Doe je kapje af en trek dat pak dan over de rest heen aan.' George en Annie haalden de pakken uit het plastic en kropen in de zware ruimteoutfits.

Ondertussen keek Emmett op Kosmos' scherm naar een paar beelden van Mars. Hij zoomde steeds meer in en de rode planeet was duidelijk zichtbaar. Kosmos zelf was echter verdacht stil.

'Waarom is hij zo rustig?' vroeg George.

'Ik kreeg een briljant idee,' zei Emmett, en hij haalde zijn schouders op. 'Ik heb het geluid gewoon zacht gezet.'

Hij zette Kosmos harder en toen hoorden ze hem weer klagen. 'Niemand vindt me aardig. Niemand begrijpt me, het kan niemand iets schelen hoe ik me voel.'

Emmett zette het geluid weer zachter.

'Als we in de ruimte zijn, moeten we met Kosmos kunnen praten,' waarschuwde Annie. 'We hebben al een keer eerder vastgezeten in de ruimte, en één keer vond ik meer dan genoeg. Kun je hem aan, denk je?'

Emmett zette het geluid weer harder.

'Doe dit, doe dat, ik moet de hele tijd van alles,' klaagde Kosmos. 'Ik wil mezelf alleen maar kunnen uiten.'

'Kosmos,' zei Annie. 'Ik heb een manier bedacht waarop jij jezelf heel goed kunt uiten.'

'Wedden dat je wilt dat ik de opening voor jullie maak zodat jullie ervandoor kunnen gaan?' zei Kosmos knorrig.

'Dat klopt,' zei George, 'maar het punt is dat we dit helemaal niet mogen doen en als we betrapt worden hebben we echt een groot probleem.'

'O, dat is wreed!' zei Kosmos, die een beetje opleefde. 'Dus dan zijn we echt heel gevaarlijk bezig?'

'Eh... ja,' zei George, 'en jij moet ons helpen. Jij moet op ons letten terwijl we op Mars zijn. En jij ook, Emmett. Als we daar snel weg moeten, dan moeten jullie ons onmiddellijk terughalen.'

'Maar,' zei Emmett, 'als jullie ons vanaf Mars een teken geven, dan zit er toch een vertraging in? Volgens mij doet het licht er vier minuten en twintig seconden over om Mars te bereiken. Of, als Mars aan de andere kant van de zon staat, kan het tweeëntwintig minuten duren. Dus als jij iets tegen me zegt en ik antwoord, dan duurt het of acht minuten en veertig seconden of vierenveertig minuten. En dat zou weleens te laat kunnen zijn.'

'Nee, Kosmos heeft een *instant messaging*-programma,' zei Annie. 'Dus je kunt ons direct horen en antwoorden.'

'Wauw! Dat is wel een heel bijzondere techniek!' zei Emmett, en hij was opnieuw onder de indruk van Kosmos.

'Dat is het zeker,' voegde Annie eraan toe, 'als Kosmos tenminste niet te laf is om...'

'*No problem!* Ik doe mee!' zei Kosmos. Er kwam een heldere lichtstraal uit het scherm van de geweldige computer: in het midden van de steriele ruimte zagen de kinderen een deur verschijnen.

De deur zwaaide open. Erachter kwam een roodkleu-
rige planeet in beeld. Links van het midden zagen ze een
donkere vlek.

'We naderen Mars,' zei Emmett toen de planeet dichterbij kwam en de sterren in de donkere lucht erachter
steeds helderder werden. 'Zien jullie die donkere vlek?

Dat is Syrtis Major. Dat is een winderige, vulkanische
vlakte die zo groot is dat wetenschappers hem al kennen
vanaf het moment dat ze in de zestiende eeuw de eerste
telescoop op Mars richtten. De zuidelijke ijskap is heel
groot en je kunt hem in deze tijd van het jaar goed zien.

Die heldere plek onder het midden is het Hellas Basin, de grootste onbetwiste inslagkrater op de planeet die ontstaan is door de inslag van een komeet of een asteroïde. Hij heeft een doorsnede van ongeveer 2300 kilometer. Die vier vlekken die je in de buurt van de evenaar ziet, zijn wolken van ijskristallen boven de vier grootste vulkanen in Tharsis.'

'Hoe weet je dit allemaal?' vroeg George. Zijn stem klonk vervormd door de microfoon van de helm die hij zojuist had opgezet.

'Om eerlijk te zijn staat dat op Kosmos' scherm,' zei Emmett bijna verontschuldigend. 'Hij geeft me een verslag van de omstandigheden op Mars, zodat ik weet of het veilig is voor jullie om te landen. Ondertussen geeft hij me meteen wat toeristische informatie. Hier staat dat bezoekers van Mars er rekening mee moeten houden dat de zwaartekracht op Mars heel anders is dan jullie gewend zijn. Je weegt daar ongeveer de helft van wat je op aarde weegt, dus hou er rekening mee dat je zo door de lucht stuitert.'

'Staat er ook wat voor weer het is?' vroeg Annie door haar microfoontje. Ze klonk een beetje zenuwachtig.

'Even kijken...' zei Emmett. 'Hier heb ik de verwachtingen voor het noordpoolgebied van Mars: vandaag is het er overwegend helder met een gemiddelde temperatuur van min zestig graden Celsius. Kans op ijsstormen in het gebied: zeer klein. Maar in het midden kunnen er stofstormen ontstaan die over de hele planeet trekken. Dat zou ik maar goed in de gaten houden. Hier staat dat stofstormen in deze tijd van het jaar veel voorkomen en dat ze zich erg snel kunnen verspreiden.'

De deuropening kwam steeds dichter bij Mars en brak door de dunne atmosfeer. Het rotsachtige oppervlak was al zichtbaar.

George en Annie stonden op de drempel. Ze hadden hun dikke ruimtehandschoenen aan en hielden elkaars hand vast. Hun zuurstoftanks waren aangesloten en hun ontvangers stonden aan. Toen de opening een paar meter boven de grond zweefde, zei Annie: 'Ben je er klaar voor? Vijf, vier, drie, twee, een... springen!'

Ze verdwenen door de deuropening en landden op Mars: de planeet waar geen mens eerder een voet op had gezet.

Emmett zag hen kleiner worden; er kwam een zandvlaag door de opening en toen sloeg de deur met een klap dicht. Emmett probeerde het stof op te vangen dat door de superschone lucht dwarrelde, maar de afzuigers in de steriele ruimte, die was ontworpen om elke vorm van vervuiling zo snel mogelijk te laten verdwijnen, zogen het onmiddellijk weg. Het Marsiaanse stof was verdwenen, net als Annie en George. Emmett was nu alleen in de grote ruimte met Kosmos. Even keek hij verdwaasd om zich heen. Toen pakte hij de *Reisgids voor de ruimte*. Hij zocht in de inhoudsopgave naar Mars en zocht de bladzijde op.

'Komt het leven van Mars?' las hij.

## Komt het leven van Mars?

Waar en wanneer begon het leven zoals wij het kennen?
Begon het op de aarde? Of kwam het misschien van Mars?

Een aantal eeuwen geleden geloofden de meeste mensen
dat de mens en alle andere levensvormen bestonden sinds
het ontstaan van de aarde. Men dacht dat de aarde de hele
materiële wereld was en het ontstaan een vrij plotselinge
gebeurtenis was, net zoals de oerknal waar vandaag de dag de
meeste wetenschappers in geloven. Dit werd onderwezen in
scheppingsverhalen zoals bijvoorbeeld in Genesis, het eerste
boek van de Bijbel. Maar ook andere culturen overal op aarde
hebben vergelijkbare verhalen waarin gesteld werd dat alles
in één keer werd geschapen.

Er waren wel al astronomen die over de uitgestrektheid
van de ruimte nadachten, maar het idee werd pas serieus
toen Galileo (1564-1642) een van de eerste telescopen had
gemaakt. Zijn ontdekkingen lieten zien dat het universum
bestond uit vele andere werelden waarvan sommige, net
als onze eigen planeet, bewoond zouden kunnen zijn. De
onmetelijkheid van het universum, en de aanwijzingen dat
zijn ontstaan plaatsvond lang voordat onze soort ten tonele
verscheen, werd pas veel later algemeen erkend in het tijdperk van de verlichting. Rond de achttiende eeuw werden er
heel veel dingen uitgevonden, zoals de waterstofballon en de
stoommachine. Deze uitvindingen veroorzaakten de tech-
nologische en industriële revolutie van de daaropvolgende
(negentiende) eeuw. In die tijd waarin er zoveel veranderde,
bestudeerden geologen het ontstaan van gesteente door sedi-
mentatie in ondiepe zeeën. Zij kwamen tot de conclusie dat
dit soort processen niet duizenden of zelfs miljoenen jaren,
maar duizenden miljoenen jaren doorgingen. Dat is zo lang

dat er een speciale aanduiding voor is: Giga-annum (Ga). 1 Ga is 1 miljard jaar.

Hedendaagse geofysici geloven dat onze planeet aarde, en ons zonnestelsel, 4,6 Ga geleden is ontstaan toen het universum (dat nu 14 Ga oud is) zelf nog maar iets ouder was dan 9 Ga.

De moderne mens verspreidde zich waarschijnlijk zo'n 50.000 jaar geleden vanuit Afrika over de rest van de wereld, maar archeologische vondsten hebben duidelijk aangetoond dat het pas 6000 jaar geleden is dat de eerste menselijke samenlevingen zich begonnen te ontwikkelen tot een beschaving; een economisch systeem waarin verschillende soorten goederen werden geruild. Een belangrijke factor in elke beschaving is niet alleen de uitwisseling van goederen, maar ook van informatie. Hoe werd die informatie echter opgeslagen en verspreid?

Voordat men papier en inkt uitvond, was een van de eerste methodes om tekens te gebruiken die in kleitabletten werden gekrast; de verre voorvader van moderne geheugenchips. Het delen en verzamelen van kennis, en dan speciaal het soort kennis dat we tegenwoordig wetenschappelijke kennis noemen, werd een doel op zich.

De (relatief) recente ontwikkeling van de beschaving hing natuurlijk af van de ontwikkeling van wat we 'intelligent' leven noemen. Wezens die voldoende zelfbewustzijn hebben om zichzelf in de spiegel te herkennen. Er zijn een aantal soorten op onze planeet die daartoe in staat zijn: olifanten, dolfijnen en natuurlijk mensachtigen (Hominidae), de groep waartoe chimpansees en andere apen, neanderthalers en moderne mensen zoals jij behoren. Tot nu toe zijn er geen tekenen van intelligent leven in het heelal gevonden.

Hoe zijn deze intelligente levensvormen op aarde ontstaan? Fossiele overblijfselen wekken de suggestie dat hedendaagse planten en dieren konden zijn ontstaan uit andere levensvormen die heel vroeger op de aarde aanwezig waren. Men begreep echter lange tijd niet hoe het kwam dat de verschillende soorten zich zo goed aan hun omgeving hadden aangepast zonder dat ze van tevoren waren ontworpen. Het idee van continue evolutie werd pas algemeen geaccepteerd toen Darwin (in 1859) het principe van aanpassing door natuurlijke selectie verklaarde. Hoe dit aanpassingsproces nu precies werkt, werd nog niet zo heel lang geleden duidelijk, namelijk aan het eind van de jaren vijftig van de twintigste eeuw, toen het onderzoek van Watson en Crick inzicht opleverde over het dna.

Het begrip van het evolutionaire proces op basis van het dna wordt, voor zover als het gaat, ondersteund door de lijst van vindplaatsen van fossielen. Het probleem is alleen dat deze lijst niet erg ver teruggaat in de tijd. Namelijk maar iets minder dan één Ga en dat is maar een fractie van de totale leeftijd van de aarde.

Eenvoudige levensvormen ontwikkelden zich voor de periode die het cambrium wordt genoemd. We kunnen vrij duidelijk zien hoe (al weten we niet waarom) intelligente levensvormen hieruit evolueerden in de laatste 500 miljoen jaar. Er zijn echter geen fossielen gevonden die laten zien hoe het leven voor het cambrium evolueerde.

Een probleem is dat er pas sinds het cambrium grote dieren met botten zijn die makkelijk in fossielen veranderen. Hun voorouders hadden waarschijnlijk een zacht lichaam, zoals bijvoorbeeld onze kwallen, en nog verder terug waren de enige levensvormen microscopisch kleine eencellige organismen. Beide soorten laten geen duidelijke fossielen achter.

Als we nog verder teruggaan dan is het duidelijk dat de evolutie toen erg langzaam verliep en dat het moeilijk was om te evolueren. Zelfs al zijn er planeten waar de omstandigheden gunstig waren, dan nog zijn de kansen voor het ontstaan van geavanceerde levensvormen erg klein. Dit betekent dat het maar op een heel klein deel van alle planeten zal voorkomen. Onze planeet moet dan ook een van die weinige uitzonderingen zijn. Bovendien had het ook hier heel makkelijk fout kunnen gaan. Astrofysici hebben een berekening gemaakt waaruit blijkt dat in de tijd die op aarde nodig was om intelligent leven te laten ontstaan door evolutie, de zon al het meeste van zijn waterstofreserves had verbruikt. Anders gezegd: als onze evolutie maar een klein beetje trager was verlopen, hadden we niet bestaan omdat de zon dan al opgebrand zou zijn!

Welke evolutionaire stappen zouden het moeilijkst zijn om te maken binnen de beschikbare tijd?

Een moeilijke stap op aarde zou waarschijnlijk het begin zijn van wat wel eukaryotisch leven (cellen met een uitgebreide structuur van celkernen en ribosomen) wordt genoemd. Tot de eukaryoten behoren grote meercellige organismen zoals wij, maar ook eencelligen zoals de amoebe. Uit de lijst van vindplaatsen van fossielen blijkt dat het eerste eukaryotische leven op aarde in het begin van het proterozoïcum verscheen, ongeveer twee Ga geleden, toen de aarde nog maar half zo oud was als nu. Voor deze periode waren primitievere prokaryotische levensvormen, zoals bacteriën (die cellen hebben die te klein zijn om een celkern te bevatten), alom aanwezig. Dit was het archeïcum. Dit tijdperk begon toen de aarde minder dan één Ga oud was.

Er is bewijs dat dit soort primitief leven is ontstaan in het begin van het archeïcum. Hierdoor blijven we wel zitten met een puzzel omdat het impliceert dat het hele proces om dit leven te laten ontstaan moet hebben plaatsgevonden in het tijdperk daarvoor. Dit tijdperk heet hadeïcum en het is het eerste tijdperk in de geschiedenis van de aarde.

Waarom is dit een probleem? Nou, al was het hadeïcum wel lang genoeg (bijna één Ga), de omstandigheden op aarde waren letterlijk hels te noemen, zoals de naam al suggereert. (Het woord hadeïcum komt van het oud-Griekse woord hades wat 'hel' betekent.) Dit was de tijd dat het puin, dat achterbleef na de vorming van het zonnestelsel, insloeg op de maan en kraters veroorzaakte. De aarde, die een grotere massa en dus meer zwaartekracht heeft, had het rond die tijd nog harder te verduren. Het bombardement zorgde ervoor dat het op aarde ontzettend heet was. Hierdoor werd beginnend leven in de kiem gesmoord.

De planeet Mars heeft een kleinere massa en is verder weg van de zon. Onlangs hebben wetenschappers gesuggereerd dat het bombardement op Mars eerder was afgelopen dan op aarde. Brokstukken die van Mars zijn weggeslagen door de inslagen, kunnen dan ook zijn 'opgevangen' door de aarde.

Dit zou betekenen dat het leven op Mars is ontstaan voordat het hier kon overleven.

Analyse in een elektronenmicroscoop van een meteoriet die vanaf Mars op de aarde terecht is gekomen (meteoriet ALH84001), toonde structuren die erg leken op fossiele microben. Dit bewijst dat fossiele organismen misschien vanaf Mars de aarde hebben bereikt. Dat zou echter nog steeds niet verklaren hoe levende organismen, en niet alleen fossielen, hier verschenen tenzij ze de reis per meteoor hebben overleefd. Dit is een vraag waarover vandaag de dag verhitte debatten worden gevoerd.

Een nog interessanter probleem is of het milieu op Mars in die tijd (een periode die ongeveer samenviel met het hadeïcum op aarde) wel geschikt was voor primitief leven.

De condities op Mars vandaag de dag zijn duidelijk ongunstig, in elk geval aan de oppervlakte: een koude, droge

woestijn met amper een atmosfeer behalve een beetje koolstofdioxide. De sondes die op Mars zijn geland, toonden
wel aan dat er een aanzienlijke hoeveelheid bevroren water
op de beiden polen aanwezig is. Bovendien heeft Mars veel
zichtbare landschapskenmerken die lijken te zijn veroorzaakt
door erosie door rivieren of door de branding van een zee.
Dit betekent dat er een periode in de geschiedenis van Mars
moet zijn geweest waarin er grote hoeveelheden vloeibaar
water waren. En dit is precies wat ons soort leven nodig heeft
om te ontstaan. Tijdens die vroege periode heeft dat water
een oceaan gevormd. In het begin zou deze oceaan enkele
duizenden meters diep zijn met zijn middelpunt dicht bij wat
nu de noordpool van Mars is.

Leven kan dus zijn ontstaan aan de rand van deze oceaan,
ver terug in de geschiedenis van Mars.

Er is wel een aantal bezwaren tegen deze theorie. Ten
eerste zou de atmosfeer niet genoeg zuurstof bevatten.
Primitieve levensvormen op aarde lijken echter ook te
hebben overleefd in een omgeving waar ook niet veel zuurstof aanwezig was, dus dat maakt misschien niets uit.

Een ander bezwaar is dat de oceaan van Mars misschien te
zout was voor aardse levensvormen. Maar misschien hadden
de levensvormen op Mars zich wel aangepast aan heel zoute
condities, of misschien ontwikkelden ze zich in zoetwater-
meren?

Het is dus toch mogelijk dat het leven begonnen is op
Mars, aan de rand van een enorme oceaan. Daarvandaan heeft
het een lift gekregen van een meteoor op weg naar de aarde.
Onze vroegste voorouders zouden weleens Marsbewoners
geweest kunnen zijn!

Brandon

9

Terwijl George en Annie door de opening sprongen, draaide George zich om en keek achter zich. Eén milliseconde zag hij de steriele ruimte op de planeet aarde, en het bezorgde gezicht van Emmett die door de deuropening keek. Maar toen ging de deur dicht en verdween hij zonder een spoor achter te laten aan de Marsiaanse hemel.

Door de kracht van de sprong zweefden George en
Annie door de Marsiaanse atmosfeer, zonder meteen
te landen. Ze hielden elkaars hand stevig vast zodat ze
elkaar op deze onbekende, verlaten planeet niet zouden
kwijtraken. George' voeten raakten de grond, maar door
de kracht van de aanraking met het oppervlak ging hij
weer omhoog. Hij maakte een grote sprong.

'Waar zijn de bergen?' riep hij door de microfoon
naar Annie, toen ze waren geland en elkaars hand snel
loslieten. Ze stonden op een uitgestrekte, ruige, rood-

kleurige vlakte. Welke kant ze ook op keken, ze zagen niets anders dan rotsachtig landschap. De zon – die op aarde zo krachtig was – stond ook hier aan de hemel, maar hij leek verder weg; hij was kleiner en gaf veel minder warmte doordat het licht en de warmte een grotere afstand moesten afleggen dan naar de aarde. Het licht was roze door al het rode stof dat door de lucht zweefde, maar het was niet die mooie, vertrouwde gloed die het licht op aarde 's ochtends vroeg soms had. Het was een vreemde, lichtgevende kleur, alsof de eerste menselijke wezens die helemaal van de aarde naar Mars waren gereisd niet welkom waren.

'Er zijn hier geen bergen,' zei Annie tegen George. 'We zijn op de noordpool van Mars. De vulkanen en valleien zijn in het midden van de planeet.'

'Hoelang hebben we tot de zon ondergaat?' vroeg hij, want hij bedacht plotseling dat ze helemaal niets zouden kunnen zien als de zon eenmaal onder was. De ontzettende leegte op deze verlaten planeet overviel hem en hij wilde hier zeker niet zijn als het donker was.

'Eeuwen,' zei Annie. 'De zon gaat hier in de zomer op de noordpool niet onder. Maar ik wil hoe dan ook niet te lang blijven. Ik vind het hier niet leuk.' Alhoewel haar ruimtepak haar beschermde tegen de kou op Mars, huiverde ze.

Het was niet prettig om de enigen op een planeet te zijn en net als George miste Annie mensen, gebouwen, beweging, geluid en leven. Ze hadden weleens bedacht dat het leuk zou zijn om op een planeet te zijn waar niemand je vertelde wat je moest doen, maar in het echt was het lang zo leuk niet. Op een lege planeet was niets te doen en er was niemand om mee te spelen. Ze hadden ervan gedroomd hoe fijn het zou zijn om alles zelf te mogen beslissen, maar nu ze hier eenmaal waren, merkten ze dat het thuis eigenlijk helemaal niet zo vervelend was.

George sprong nog een keer in de lucht, om te kijken hoe hoog hij kwam. Hij steeg een paar meter op en kwam even later weer neer, vlak bij de plek waar Annie stond.

'Dat is geweldig!' zei hij.

'We moeten zo weinig mogelijk sporen achterlaten,' waarschuwde Annie, en ze wees naar de voetafdrukken die George op het oppervlak had gemaakt. 'Straks zijn ze te zien op de beelden van de Marssonde en dan denken ze thuis dat er echt Marsianen bestaan.'

'Ik zie Homer!' zei George, toen hij in de verte een eenzaam, klein figuurtje zag. Met z'n tweeën sprongen ze zijn kant op. 'Maar wat is hij nou aan het doen?' vroeg George verbaasd. De robot was druk in de weer. Hij rolde naar voren en weer terug en gooide stukjes steen in de lucht.

'Dat gaan we uitzoeken, daarom zijn we hier,' zei Annie. 'Ik ga Emmett oproepen. Emmett!' zei ze in haar microfoontje. 'Emmett? Jemig, hij antwoordt niet.'

Ze zetten een paar stappen vooruit en keken naar de vreemde bewegingen van Homer. Hij bewoog om een onduidelijke reden heen en weer, maar het leek wel volgens een soort plan te gebeuren.

'Laag blijven!' siste Annie, terwijl ze op handen en voeten verder kroop. 'Anders kan Homer ons met zijn cameraogen zien en dan ziet mijn vader ons en dan weet hij waar we zijn. Dat zou een ramp zijn!'

'Maar dat duurt dan nog altijd een paar minuten,' zei George. 'Het signaal moet eerst terug naar de aarde worden gestuurd. Dus zelfs als Homer een foto van ons neemt, dan hebben we nog de tijd om weg te komen.'

'Huh!' schamperde Annie. 'Voor jou is het niet zo erg. Als mijn vader ons hier ziet, stuurt hij jou alleen maar terug naar Engeland, maar ik, ik blijf hier, nou, daar dus, op aarde, met een vader die boos op me is en die me elke suffe straf zal geven die hij maar kan bedenken.'

'Zoals?' vroeg George.

'Niet meer naar voetbal en extra wiskundesommen en ruimtepakken schoonmaken en nooit, nooit meer zakgeld, denk ik. Geloof me, planeet aarde zal te klein zijn.'

'Moeten we ook stil zijn? Kan Homer ons horen?' vroeg George.

'Hm, ik denk het niet,' zei Annie. 'De atmosfeer van Mars is niet geschikt voor het verplaatsen van geluidsgolven, dus ik denk niet dat hij geluid registreert, alleen beelden.' Even was ze stil maar toen schreeuwde ze in haar microfoon: 'MAAR IK ZOU WILLEN DAT EMMETT ONS HOORDE!'

'Au!' zei George. Annies stem schalde door zijn ontvanger en het geluid was zo hard dat hij het gevoel had dat zijn ruimtehelm zou exploderen.

'Wie? Wat? Waar?' Eindelijk hoorden ze Emmett.

'Emmett, dommerd!' zei Annie. 'Waarom gaf je geen antwoord?'

'Sorry,' klonk Emmetts stem. 'Ik zat eh... te lezen. Is alles goed met jullie?'

'Ja, maar niet dankzij de grondploeg, niet dankzij jou,' zei Annie. 'We zijn op Mars geland en we naderen Homer. Heb je nog informatie voor ons?'

'Ik kijk even,' murmelde Emmett. 'Ik ben zo bij jullie terug.'

'Oké. George, we moeten naar Homer gaan,' zei Annie. 'Maar zorg dat je hem niet aanraakt en dat hij jou niet in beeld krijgt.'

'Kan ik over hem heen springen?' vroeg George. Hij vond de lage zwaartekracht op Mars heel erg leuk en hij wilde nog hoger springen. 'Dan kan ik van bovenaf kijken wat hij aan het doen is?' Door het Marsiaanse stof was George' witte ruimtepak roodbruin geworden.

'Nee, straks val je boven op hem!' zei Annie. 'Je kunt niet meer dan ongeveer tweeënhalf keer hoger springen dan op aarde, dus haal geen rare streken uit. We moeten dichter bij Homer zien te komen, maar blijf aan deze kant. Op die manier blijven we uit het zicht van de camera.'

Ze namen een grote sprong richting de robot, die de

hele tijd in de weer was geweest, maar nu even stilstond alsof hij moest uitrusten.

'Hij is opgehouden. Laten we naar hem toe sluipen!' zei Annie. Het was niet makkelijk om met zware ruimtelaarzen op je tenen te lopen, maar ze deden hun best om de robot te naderen zonder dat hij hen opmerkte. Toen ze vlak bij Homer waren, bekeken ze zijn uit elkaar staande poten, die stevig op de Marsiaanse grond stonden, zijn stoffige zonnepanelen, waarmee hij de zonnestralen kon opvangen die hij omzette in energie, zijn dikke rubberen banden, zijn camera met de glimmende ogen en de lange robotarm, die nu doelloos langs zijn lichaam hing.

Toen ze echter nog dichterbij kwamen, zagen ze iets anders; iets wat ze niet hadden gezien op de beelden die Homer naar de aarde had gestuurd.

'Daar!' zei Annie. 'Kijk!'

Op de vlakke grond naast Homer, zagen ze in het stof en de brokstukken een aantal tekens.

'Het is een boodschap!' schreeuwde George, die vergeten was dat je niet door de microfoon moest schreeuwen. 'Het zijn dezelfde tekens die Kosmos heeft ontvangen! Het zijn dezelfde tekeningen! Iemand heeft een boodschap achtergelaten op Mars!'

Annie gaf hem een trap met haar ruimtelaars. 'Niet schreeuwen!' fluisterde ze.

Op hetzelfde moment hoorden ze Emmetts opgewonden stem vanaf de planeet aarde. 'Een boodschap? Op Mars? Wat staat er?'

'Daar proberen we nu achter te komen,' zei Annie.

'Misschien bewoog Homer niet zomaar wat heen en weer. Misschien danste hij in het rond omdat hij bezig was een boodschap voor ons te schrijven?'

Voorzichtig namen ze nog een sprong en ze landden vlak naast de krabbels die Homer in het stof had achtergelaten.

'Kun je de tekens omschrijven?' vroeg Emmett dringend. 'Iets wat ik kan invoeren. Misschien dat Kosmos ze kan analyseren?'

'Eh... nou,' zei George, 'er staat een cirkel met andere cirkels eromheen.'

'Het zou een planeet met ringen kunnen zijn,' zei Annie. 'Het zou Saturnus kunnen zijn. En kijk, al die stenen op een rijtje, dat zou het zonnestelsel kunnen zijn, zoals in die andere boodschap.'

'En daar, dat is de planeet met ringen, maar er liggen ook allemaal steentjes omheen.'

'Misschien zijn dat de manen van Saturnus,' klonk Emmetts stem. 'Denk je dat hij wil zeggen dat jullie naar

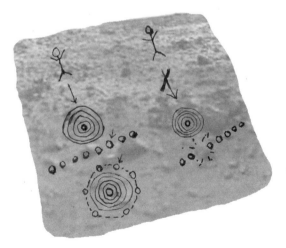

de manen van Saturnus moeten gaan? Ik voer de informatie nu in. Misschien kan Kosmos ons een aanwijzing geven. Kun je zeggen hoeveel steentjes er liggen? Saturnus heeft er behoorlijk veel: ongeveer zestig.'

De wind, die tot nog toe slechts een briesje was geweest, begon toe te nemen en dreef stof, gruis en zelfs stenen de lucht in.

'O, nee! Een extra weerbericht,' las Emmett op Kosmos' scherm. 'Oprukkende storm vanuit het zuiden. Evacuatie wellicht noodzakelijk.'

'We hebben meer tijd nodig!' antwoordde George. 'We weten nog niet wat de boodschap betekent. We tellen nu de manen om de planeet met de ringen!'

'Maar het einde is hetzelfde,' concludeerde Annie. Toen ze het laatste beeld had gezien, was haar angst groter geworden dan Mars zelf. 'Er staat nog steeds "geen planeet aarde".' Ze namen nog een sprong en landden vlak naast Homer. Annie moest een van zijn poten vastgrijpen om te voorkomen dat de wind haar meesleurde, met haar andere hand greep ze George vast.

Emmetts stem klonk weer door de microfoon en hij klonk nog banger dan daarvoor.

'Ik vrees dat jullie *geen* tijd meer hebben,' zei hij dringend. 'Kosmos heeft vastgesteld dat er een zeer zware stofstorm is die heel snel jullie kant op komt! We moeten jullie daar weghalen voordat jullie worden meegesleurd. Kosmos zegt dat hij jullie misschien niet meer kan vinden in een stofstorm en... O!' Emmett maakte zijn zin niet af.

'Emmett, wat is er?' Op dat moment zagen Annie en

George in de verte grote, donkere wolken die snel hun kant op kwamen.

'Kosmos is vastgelopen!' zei Emmett wanhopig. 'Er staat: *oproepen van de deuropening niet mogelijk vanwege een noodzakelijke systeemupdate.* Hij kan jullie niet terughalen voordat hij klaar is met updaten! Hij kan jullie alleen verder weg sturen!'

'Emmett, haal ons hier weg!' schreeuwde Annie, die het nu niets meer kon schelen hoe hard haar stem klonk. 'Stuur ons ergens naartoe! Maakt niet uit waar! Haal ons uit deze storm! Ik hou het niet langer!'

De wind blies al het stof van het oppervlak de lucht in. Homer was al helemaal bedolven en zijn zonnepanelen waren onzichtbaar geworden. Terwijl de wind om hen heen wervelde, konden George en Annie elkaar bijna niet meer zien. Annie hing nog steeds aan Homers ene poot en George zweefde achter haar terwijl de verschrikkelijke wind tegen hem aan sloeg. Hij had beide armen stevig om Annies been geslagen. Ze wisten echter alle twee dat ze elk moment weggeblazen konden worden. Dan zouden ze elkaar kwijtraken en voor altijd op Mars achterblijven.

'De manen van Saturnus!' gilde George in zijn microfoontje. 'Als je ons niet kunt terughalen, stuur ons dan verder weg, naar de volgende aanwijzing!'

Door de gruisachtige wolk, die steeds groter werd, zagen ze de vage lijnen van de deuropening. Toen de omtrekken duidelijker werden, liet George Annie met één arm los en greep de deurpost vast. Al draaiende wist hij zijn voet tegen de deur te klemmen terwijl hij Annie nog steeds vasthield. Annie had op haar beurt Homer nog steeds vast.

'Open de deur!' schreeuwde hij naar Emmett op aarde. 'Annie! Ik tel af en dan gooi ik je door de opening! Laat Homer los!'

'Dat kan ik niet!' gilde Annie. 'Ik kan hem niet loslaten!'

George begreep dat Annie zo bang was om weggeblazen te worden dat ze Homer niet durfde los te laten. 'Ik heb je vast!' schreeuwde hij terug. 'Ik kan niet jou én Homer door de opening trekken. Zo sterk ben ik niet!'

De deur zwaaide heel snel open. Daarachter was een vreemde, oranje draaikolk zichtbaar.

'Ik tel af, Annie, en dan laat je los,' zei George. 'Vijf, vier, drie, twee, een!' Hij probeerde haar door de deuropening te trekken, maar ze klampte zich nog steeds aan Homer vast. 'Doe je ogen dicht,' schreeuwde hij, 'en denk

aan de aarde. We gaan samen, Annie. Ik ga met je mee. Probeer het opnieuw. Je kan het. Vijf! Vier! Drie! Twee! Een!'

Annie liet Homers poot los en ze vloog door de deuropening alsof ze met een katapult werd weggeschoten. George wierp zichzelf door de opening naar een andere wereld; eentje waar hij nooit van had kunnen dromen.

De deur sloeg achter hen dicht terwijl de stofwolk Mars bedekte. Het stof wiste Homers boodschap uit en bedekte de voetafdrukken van Annie en George. Ook de kleine robot was bedekt onder een deken van rood gruis. Het enige wat nog zichtbaar was, was het kleine, knipperende rode lampje op Homers camera die foto's nam van de Marsiaanse storm. De beelden werden naar Annies vader gestuurd, die zich zoveel kilometers verderop bevond, op de veilige planeet aarde.

## 10

Heel ver bij het hoofdkwartier van het Global Space Agency vandaan, maar vergeleken bij de afstanden in de ruimte eigenlijk vrij dichtbij, had Daisy, George' moeder, net de zon zien opkomen boven de Stille Oceaan. Toen het licht van de sterren vervaagde en de mist boven het kristalheldere water optrok, was de turkooisblauwe lucht veranderd in een lichte, azuurblauwe waas. Daisy had de hele nacht naar de hemel gekeken.

Toen de zon de avond ervoor was ondergegaan, had ze vlak boven de horizon Mercurius en Venus gezien, die weer verdwenen toen in het oosten de maan opkwam. De donkere hemel was bezaaid met miljoenen schitterende sterren. Onder die sterren waren de Alpha en Beta Centauri: twee heldere sterren die beide de weg wezen naar het Zuiderkruis, een sterrenbeeld dat alleen zichtbaar is op het zuidelijk halfrond. Daisy was achterover in het zand gaan liggen en had naar de hemel gekeken. Boven zich had ze de sterrenbeelden Weegschaal en Schorpioen gezien met de prachtige ster in het hart van Schorpioen, die helder op haar neer scheen.

Terwijl ze naar de sterren lag te kijken, dacht ze aan George die naar de lancering van een spaceshuttle zou gaan kijken. Ze wist hoe spannend hij het zou vinden om een echt ruimteschip de lucht in te zien gaan. Natuurlijk kon ze niet weten dat George, terwijl zij op het strand naar boven zat te kijken, zich ergens in het zonnestelsel bevond en dat hij vanaf Mars onderweg was naar de volgende bestemming van de kosmische jacht op de schat.

Net zo goed als ze niet wist waar haar zoon was, wist ze ook niet waar George' vader, Terence, was, want hij was ergens op aarde verdwaald. Dat was de reden dat ze op het strand zat; ze wachtte op de boot die hem zou terugbrengen. Terence en Daisy waren naar Tuvalu gegaan, een eilandengroep in de Stille Oceaan. Het was er net een paradijs, met witte stranden, wuivende palmbomen, grote vlinders en exotische vogels die in de dichte begroeiing zaten. De eilanden werden omringd door een rustige, helderblauwe zee.

George' ouders waren echter niet naar de eilanden gegaan om vakantie te vieren. Ze hadden zich aangesloten bij een groep milieuactivisten die op een missie waren om de gevolgen voor de eilanden en atollen in kaart te brengen.

Het niveau van de oceaan, die er zo rustig, warm en uitnodigend uitzag, werd steeds hoger en dreigde de kleinere eilanden te overspoelen zodat er geen leven meer mogelijk was. Het waterpeil bleef stijgen en als dat zo doorging, moesten de bewoners hun huizen binnenkort verlaten. De stijging was het gevolg van het smeltende ijs in Antarctica, Groenland, en de gletsjers, en als gevolg van de thermische expansie van het zeewater: als water opwarmt, zet het uit en neemt het meer ruimte in beslag. Het gevolg: meer water en minder land. Sommige eilanden en atollen lagen zo laag dat elke verandering van het zeeniveau direct zichtbaar was: huizen dreven weg, stranden verdwenen en de weg naar de hoofdstad was het grootste deel van het jaar onbruikbaar doordat hij vaak onder water stond.

De mensen konden tenminste nog weggaan – ook al lieten ze hun huizen en hun prachtige eilanden niet graag achter. Maar alle vogels, vlinders en nachtvlinders waren aan hun omgeving gebonden en konden nergens anders naartoe.

De eilandbewoners hadden hun best gedaan om de rest van de wereld te laten weten wat er met hen gebeurde. Ze waren naar belangrijke vergaderingen gegaan en hadden zoveel mogelijk mensen verteld wat er met hun huizen zou gebeuren als de opwarming van de aarde doorging en de zee bleef stijgen. Sommige mensen zeiden dat de veranderingen deel uitmaakten van een natuurlijke cyclus waarbij het weer veranderde. Bij een grote storm zouden de eilanden overspoeld worden. Andere mensen waren ervan overtuigd dat de weersveranderingen een teken waren van iets veel ernstigers wat niet zo makkelijk verklaard kon worden.

Dat Tuvalu steeds meer onder water kwam te liggen was in feite niks nieuws. De vijf atollen waaruit de eilandengroep bestond, hadden heel lang geleden ook al onder water gelegen. De bekende ontdekkingsreiziger en bioloog Charles Darwin was in 1835 naar de Stille Oceaan gezeild en had verklaard hoe de atollen – die er van bovenaf uitzagen als platte zandbanken om een lagune heen – ontstaan waren. Door de vulkanische activiteit hadden zich in de tropische wateren nieuwe vulkanische eilanden gevormd. Miljoenen jaren geleden ontstond langs de kustlijn van deze nieuwe eilanden het koraal – een verzameling heel kleine diertjes die in laag water leven. Dit koraal ontstond op het moment dat de nieuwe vulkanische eilanden terug in zee zonken. De atollen zouden weer in zee zijn verdwenen, als het koraal niet was blijven groeien: het vormde riffen en stranden.

Dit proces had gedurende een heel lange periode plaatsgevonden: misschien wel dertig miljoen jaar. De bewoners maakten zich nu veel zorgen om de snelheid waarmee de veranderingen de afgelopen tien jaar hadden plaatsgevonden en ze wilden dat deze veranderingen werden onderzocht.

Om dit onderzoek te doen had George' vader, Terence, met een paar anderen het grootste eiland met een boot verlaten en was naar de andere eilanden gegaan. Maar ze waren niet op het afgesproken tijdstip teruggekomen. Ze hadden kaarten meegenomen, maar geen gps en geen mobiele telefoon. Ze hadden gezegd dat ze zich aan de hand van de sterren zouden oriënteren, net als die andere ontdekkingsreiziger, kapitein Cook, had gedaan toen hij jaren geleden naar de zuidelijke zeeën was gevaren om te zien hoe Venus voor de zon langs schuift.

Terence en de anderen waren echter verdwaald en het was hen niet gelukt om terug te gaan naar Tuvalu, waar Daisy zich verschrikkelijke zorgen maakte. De andere milieuactivisten hadden boten gestuurd om hen te zoeken, maar ze waren zonder resultaat teruggekeerd. Daisy en de anderen werden steeds banger. George' vader en zijn vrienden hadden niet genoeg schoon water op de boot om het lang vol te houden en de zon scheen hier heel fel. Tijdens die lange nacht had Daisy naar Florida gebeld om hulp te vragen...

In een ander deel van het zonnestelsel hoorde George, toen hij zich door de deuropening had geworsteld en vanaf Mars naar de donkeroranje wereld erachter was gegaan, Annie schreeuwen: 'Het is hier kleddernat!'

George landde achter haar op iets wat leek op een schuin aflopend stuk bevroren grond. Hij wankelde even en greep de deurpost vast om overeind te blijven. Annie, die door George door de deuropening was geslingerd, zweefde traag door de lucht en landde toen vlak naast een rivier met donkere vloeistof die naar een groot, zwart meer stroomde. Even leek het of ze struikelde en in de zwarte stroming zou vallen. Maar in plaats daarvan boog ze haar knieën, bewoog met haar armen en maakte een sierlijke sprong over de donkere rivier.

George hing aan de deurpost. De doorgang naar Mars was gesloten maar de deur was er nog, zachtjes gloeiend in de schemering. Hij probeerde voorzichtig met één ruimtelaars de ondergrond aan te raken. Het leek wel of die uit ijs bestond. Hij probeerde er met zijn laars wat af te schrapen, maar het was zo hard als steen. George keek om zich heen of hij zich ergens anders aan vast kon houden voor het geval de deur verdween, maar hij kon niet bij de rotsen achter zich en de helling voor hem was helemaal van ijs tot aan de geheimzinnige, donkere rivier.

'Wat je ook doet, zorg dat je er niet in valt!' riep Annie vanaf de andere kant van de snelstromende vloeistof. 'We weten niet wat erin zit!'

'Waar zijn we?' riep George, en hij keek om zich heen. De lucht boven hem was erg laag en zwaar en er hingen slierten oranje en zwarte bewolking. Het licht was heel vaag, alsof het van een ster kwam die zich miljoenen kilometers verderop bevond, en de bewolking was zo dik dat het licht moeite had om deze vreemde planeet te bereiken. 'Wat is dit voor een planeet?'

'Ik weet het niet,' zei Annie. 'Het lijkt wel op de aarde voordat er leven ontstond. Kosmos heeft ons toch niet per ongeluk terug in de tijd gestuurd? Misschien heeft hij ons terug naar het begin getransporteerd om te kijken hoe het was voordat alles gebeurde.'

'George, dit is de vluchtleiding' – hij hoorde Emmetts ernstige stem – 'Kosmos kan de doorgang niet langer vasthouden. Hij moet de toepassing afsluiten, anders heeft hij straks weer last van storingen.'

'Annie, wat moet ik doen?' vroeg George, die opeens doodsbang was dat hij van de helling in de rivier zou tuimelen en zou worden meegevoerd naar het meer.

'Je moet springen,' zei Annie. 'Net zoals ik heb gedaan!' Annie stond nu op een ijzig strandje aan de andere kant van de rivier waar de vloeistof het meer in stroomde. 'Hier is het vlak dus hier kun je veilig landen.' Achter het kleine strand waren steile rotsen die boven het geheimzinnige, donkere meer uitstaken. De omtrekken van de rotsen vormden een rij grillige punten tegen de gloeiende oranjezwarte lucht, als een rij reuzennaalden.

'Er staan te veel toepassingen open,' hoorde George Kosmos met een mechanische stem zeggen. 'De doorgang zal nu worden afgesloten. Als dit een fout betreft, controleer de toepassing en stuur een bericht naar onze serviceafdeling. Wij stellen uw reactie zeer op prijs.'

De doorgang verdween uit het zicht en Annie en George bleven alleen achter op de geheimzinnige planeet. George had niets meer om zich aan vast te houden en hij gleed de ijsbaan af richting de donkere vloeistof. Hij zette zich af, net als hij Annie had zien doen, en vloog omhoog over de rivier...

'De wind heeft heel veel kracht!' zei hij toen hij aan de andere kant geland was. Het voelde alsof al zijn bewegingen vertraagd waren. 'Het leek wel of de wind me duwde, en toch waait het volgens mij niet hard.'

'Misschien komt dat doordat de atmosfeer hier dikker is dan thuis,' zei Annie. 'Misschien lijkt het daarom of we ons door soep bewegen in plaats van door de lucht. En er is hier niet veel aantrekkingskracht. Daardoor springen we veel makkelijker. O! Wat is dát?' De wolken waren even uit elkaar gegaan zodat ze een glimp konden opvangen van de bizarre wereld achter het meer. Ze zagen een hoge berg met een kuil waar de punt zou moeten zitten.

'Wauw! Dat lijkt wel een dode vulkaan,' zei George.

Terwijl ze ernaar stonden te kijken, kwam er blauwe vloeistof uit de krater.

'Zo dood is hij anders niet!' schreeuwde Annie. De dikke vloeistof zakte langzaam tot onder aan de helling. Vanaf daar kroop hij traag voort als enorme blinde wormen.

'Dat ziet er verschrikkelijk vies uit,' piepte Annie. 'Wat is het? En waar zijn we? Op welke planeet bevinden we ons?'

'Je bent niet op een planeet.' Emmett had eindelijk weer contact gemaakt. 'Je bent op Titan, de grootste maan van Saturnus. Je bent ongeveer 1,5 miljard kilometer van de aarde en je bevindt je vlak bij een cryovulkaan, de Ganesa Macula, die op dit moment actief is.'

'Is de uitbarsting gevaarlijk?' vroeg George. Ze zagen de dikke stroom lava door de uitgesleten gleuven in het rotslandschap kruipen.

'Moeilijk te zeggen,' antwoordde Emmett opgewekt, 'aangezien er nog nooit een mens op Titan is geweest.'

'Gefeliciteerd, Emmett,' zei George somber.

'Maar de cryovulkaan brengt water voort, al is het dan echt heel erg koud water. Er zit ammoniak doorheen en daardoor kan het min honderd graden Celsius worden zonder dat het bevriest. Het ruikt er waarschijnlijk niet zo lekker, maar daar hebben jullie met de ruimtepakken geen last van.'

'Emmett, er zijn hier meren! En rivieren!' zei Annie. 'Maar ze zien er heel vreemd en donker uit. Het lijkt niet op water.'

'Waarom heeft Kosmos ons hiernaartoe gestuurd?' vroeg George.

'Toen jullie zeiden dat de aanwijzing naar een van de manen wees, heeft Kosmos berekend dat op Titan, gezien de chemische samenstelling van zijn structuur en de atmosfeer, een vorm van leven de meeste kans heeft. Kosmos denkt dat jullie de volgende aanwijzing op Titan zullen vinden,' vertelde Emmett. 'Maar ik moet toegeven dat hij niet weet waar. Hij is nogal down op het moment. Soms is hij heel behulpzaam en dan begint hij opeens weer lastig te doen.'

'Ach, hou toch op, man!' klaagde Kosmos.

'O, kijk!' zei Annie, en ze wees naar het meer. 'Wat is dat?' Ze zagen iets wat op een reddingsboei of een boot leek. Het dreef met de stroming mee hun kant op.

'Het lijkt wel een machine,' zei George. 'Het lijkt op iets wat van de aarde afkomstig is.'

'Tenzij,' zei Annie, 'er hier iemand is en het van diegene is... Emmett,' zei ze langzaam, 'is er hier iemand? En als dat zo is, willen wij diegene ontmoeten?'

'Eh,' zei Emmett, 'ik zal het nakijken. Misschien heeft Kosmos files over het leven op Titan.'

'Nee,' snauwde Kosmos. 'Ik ben het zat. Ik heb geen zin meer. Hou op.'

'Zijn geheugen begint op te raken,' zei Emmett. 'En we hebben hem straks weer nodig om de doorgang te maken. Ik kijk nu in de *Reisgids voor de ruimte*. Hier zou iets moeten staan: "Is daar iemand?"'

# TITAN

 Titan is de grootste maan van Saturnus en de op een na grootste maan in ons zonnestelsel. Alleen Ganymede – een van de manen van Jupiter – is nog groter.

 Titan werd op 25 maart 1655 ontdekt door de Nederlandse astronoom Christiaan Huygens. Huygens had zich laten inspireren door Galileo's ontdekking van de vier manen rond Jupiter. De ontdekking dat Saturnus manen had die in een baan rond de planeet draaiden, was voor de astronomen in de zeventiende eeuw nog een bewijs dat niet alle objecten in het zonnestelsel rond de aarde draaiden, zoals men lange tijd vermoedde.

 Men dacht eerst dat Saturnus zeven manen had, maar inmiddels weten we dat er op z'n minst zestig manen in een baan rond de gasreus draaien.

 Titan doet er 15 dagen en 22 uur over om rond Saturnus te draaien. Diezelfde tijd heeft hij ook nodig om rond zijn eigen as te draaien. Dit betekent dat één jaar op Titan even lang duurt als een dag!

 Titan is voor zover we weten de enige maan in het zonnestelsel die een dichte atmosfeer heeft. Voordat astronomen hier achter kwamen, dachten ze dat de massa van Titan zelf veel groter was. De atmosfeer bestaat grotendeels uit stikstof en voor een klein percentage uit methaan. Wetenschappers vermoeden dat de atmosfeer lijkt op de atmosfeer in de begindagen van de aarde en dat Titan voldoet aan de voorwaarden voor het ontstaan van leven. Deze maan is echter heel erg koud en er is geen kooldioxide, dus de kans dat er nu levensvormen aanwezig zijn is zeer klein.

 Door onderzoek naar Titan te doen leren we begrijpen hoe de omstandigheden heel lang geleden op aarde waren en hoe het leven hier begonnen kan zijn.

Titan is de verste plek waar ooit een sonde is geland. Op 1 juli 2004 bereikte de Cassini-Huygens Saturnus. Op 26 oktober 2004 vloog hij langs Titan en de Huygens-sonde werd losgekoppeld van het Cassini-ruimteschip en landde op 14 januari 2005 op Titan.

 Huygens heeft foto's van Titans oppervlak gemaakt en men heeft ontdekt dat het daar regent!

 De sonde heeft ook sporen gevonden van opgedroogde rivierbeddingen – bewijs dat er ooit stromend vloeistof moet zijn geweest. Cassini-beelden toonden later de aanwezigheid van vloeibare koolwaterstoffen aan. Naast de aarde is dit tot nu toe de enige plek in ons zonnestelsel waar aan de oppervlakte vloeistof is gevonden.

 Over miljarden jaren, als onze zon een rode reus is geworden, zal het op Titan warmer zijn en misschien is het dan een plek waar leven mogelijk is.

*Compilatie van het Cassini-ruimteschip dat Saturnus nadert*

187

## Is daar iemand?

Zullen sommige lezers van dit boek ooit op Mars wandelen? Ik hoop van wel en ik denk dat het ook wel waarschijnlijk is. Het zal een gevaarlijk avontuur worden en misschien de spannendste ontdekkingsreis ooit zijn. Eeuwen geleden ontdekten pioniers nieuwe continenten, reisden naar de oerwouden van Afrika en Zuid-Amerika, bereikten de Noord- en Zuidpool en beklommen de toppen van de hoogste bergen. Degenen die naar Mars zullen reizen, zullen dat met hetzelfde avontuurlijke gevoel doen.

Het zou geweldig zijn om over de bergen, valleien en kraters van Mars te reizen of er misschien zelfs in een lucht- ballon overheen te varen. Niemand zal echter naar Mars gaan omdat je daar comfortabel kunt leven. Het zal moeilijker zijn om op Mars te wonen dan op de top van de Mount Everest of op de Zuidpool.

De grootste hoop van deze pioniers is echter dat ze iets op Mars vinden wat leeft.

Op onze aarde zijn er letterlijk miljoenen soorten levens- vormen: slijm, schimmels, paddenstoelen, bomen, kikkers, apen en natuurlijk mensen. Leven overleeft in de meest afge- legen hoeken van onze planeet: in donkere grotten waar al duizenden jaren geen zonlicht komt, op kurkdroge rotsen, rondom hete bronnen van kokend water, diep onder de grond en hoog in de lucht.

Op onze aarde wemelt het van de buitengewone levens- vormen. Er zijn echter beperkingen in grootte en vorm. Grote dieren hebben dikke poten, maar kunnen niet zo goed springen als insecten. De grootste dieren drijven in het water. Op andere planeten zou er een veel grotere variëteit kunnen zijn. Als daar bijvoorbeeld de zwaartekracht zwakker zou zijn dan zouden dieren groter kunnen worden en wezens van onze grootte zouden benen kunnen hebben die net zo dun zijn als de poten van insecten.

Overal waar je op aarde leven vindt, vind je ook water.

Er is water op Mars en een soort leven kan daar dus ontstaan. De rode planeet is veel kouder dan de aarde en heeft een ijlere atmosfeer. Niemand verwacht er groene Marsmannetjes met uitpuilende ogen te vinden die je in stripverhalen ziet. Als er geavanceerde, intelligente wezens op Mars leefden dan zouden we die al hebben opgemerkt en ze zouden ons dan misschien al hebben bezocht!

Mercurius en Venus staan dichter bij de zon dan de aarde. Ze zijn allebei veel warmer. Onze planeet ligt in de Goldilocks-zone: het is er niet te koud en niet te warm. (Goldilocks verwijst naar Goudhaartje, het meisje uit het sprookje dat haar pap alleen wilde eten als die niet te warm en niet te koud was.) Als de aarde te warm was dan zou zelfs het taaiste leven gefrituurd worden. Mars is een beetje te koud, maar absoluut niet dodelijk koud. De buitenste planeten in ons zonnestelsel zijn nog veel kouder.

En Jupiter dan, de grootste planeet in ons zonnestelsel? Als daar leven was geëvolueerd met een zwaartekracht die veel groter is dan hier op aarde, dan zou het er wel erg vreemd hebben uitgezien. Er zouden bijvoorbeeld grote, ballonachtige wezens zijn die in een dichte atmosfeer konden zweven.

Jupiter heeft vier grote manen waar misschien leven zou kunnen bestaan. Een van die manen, Europa, is bedekt met een dikke laag ijs. Onder dat ijs ligt een oceaan. Zwemmen er misschien wezens rond in die oceaan? Er zijn plannen om een robot in een duikboot te sturen die naar die wezens kan zoeken.

De grootste maan in ons zonnestelsel is Titan, een van de vele manen van Saturnus. Wetenschappers hebben al een sonde laten landen op het oppervlakte van Titan die rivieren, meren en rotsen heeft ontdekt. De temperatuur is er echter rond 170 graden Celsius onder nul waardoor water totaal bevroren is. Er vloeit bovendien geen water, maar vloeibaar methaan door deze rivieren en meren. Niet zo'n goede plek voor leven dus.

Laten we verder kijken dan ons zonnestelsel en andere sterren in ogenschouw nemen. Er zijn tientallen miljarden van deze zonnen in ons sterrenstelsel. Zelfs de dichtstbij-zijnde ster is zo ver weg dat het met de snelheid van een hedendaagse raket nog steeds miljoenen jaren zou duren om haar te bereiken. Het zou veel makkelijker zijn om een radio- of lasersignaal te sturen dan om die onvoorstelbare interstellaire afstanden af te leggen.

Als we een signaal zouden terugkrijgen dan zou dat misschien verstuurd zijn door buitenaardse wezens die heel anders zijn dan wij. Het signaal zou zelfs kunnen komen van machines waarvan de makers al lang geleden veroverd of uitgestorven zijn. En natuurlijk zouden er wezens kunnen zijn die 'grote' breinen hebben, maar die zo anders zijn dat we ze niet herkennen of niet met ze kunnen communiceren. En misschien laten sommigen zich wel helemaal niet zien, maar houden ze ons wel in de gaten! Er kunnen wel hyper-intelligente dolfijnen bestaan die hun diepzinnige gedachten hebben diep in een oceaan op een verre planeet zonder ooit hun aanwezigheid te verraden. En misschien bestaan sommige 'breinen' wel uit een zwerm insecten die met elkaar een intelligent wezen vormen. Er kan daarbuiten veel meer zijn dan we ooit kunnen waarnemen. Afwezigheid van bewijs is geen bewijs van afwezigheid.

Er zijn miljarden planeten in ons zonnestelsel en ons zonnestelsel is maar een van die miljarden zonnestelsels. De meeste mensen vermoeden dat het heelal moet wemelen van leven, maar dat is nog steeds niet meer dan een vermoeden. We weten nog steeds te weinig over hoe leven begon, hoe het evolueerde, om te kunnen zeggen of simpele vormen van leven algemeen voorkomen. We weten zelfs nog minder over wat de kans is dat leven op eenzelfde manier evolueert als hier op aarde. Volgens mij, maar dat is mijn opvatting, komen simpele levensvormen vaak voor maar is intelligent leven zeldzaam.

Zo zeldzaam dat er misschien helemaal geen intelligent leven bestaat daarbuiten. De aarde kan wel uniek zijn met zijn ingewikkelde biosfeer. Misschien zijn we gewoon wel alleen. Als dat waar is dan is dat een teleurstelling voor degenen die aan het zoeken zijn naar buitenaardse signalen en voor degenen die hopen dat buitenaardse wezens ons zullen bezoeken. Maar we hoeven niet somber te worden van die vergeefse zoektochten. Het kan zelfs een reden tot vreugde zijn omdat het betekent dat we wat minder bescheiden mogen zijn over onze plaats binnen het grote plan. Onze aarde zou dan de interessantste plek zijn in het heelal.

Als leven alleen op onze aarde zou voorkomen dan zou je het kunnen zien als een kosmisch bijproduct. Al hoeft dat niet zo te zijn omdat de evolutie nog niet voltooid is. Het kan zelfs zijn dat de evolutie nog niet eens over de helft is. Ons zonnestelsel is nauwelijks van middelbare leeftijd. Het duurt nog 6 miljard jaar voordat de zon uitzet, de binnenste planeten verzwelgt en het leven laat verdampen dat nog op aarde aanwezig is. Het leven en de intelligentie in de verre toekomst kunnen zoveel van ons verschillen als de mens nu verschilt van een insect. Het leven kan zich vanaf de aarde over het hele sterrenstelsel verspreiden terwijl het ondertussen evolueert en vormen aanneemt waar wij ons nu niet eens een voorstelling van kunnen maken. En als dat zo is dan zou onze kleine planeet, die helderblauwe stip in de ruimte, de belangrijkste plek in het heelal zijn.

Martin

'Is daar iemand?' zei Emmett. 'Ik denk het niet, tenminste, niet waar jullie zijn. Volgens mij zijn jullie de enigen. Jullie en een meer van methaan.'

'Gatver! Het regent!' zei Annie. Ze hield haar hand omhoog en ving een druppel op. Dikke druppels vloeistof, wel drie keer zo groot als de regendruppels op aarde, vielen uit de lucht. Maar ze vielen niet recht naar beneden en ze vielen niet snel, zoals normale regendruppels. Ze dwarrelden langzaam door de atmosfeer, als sneeuwvlokken.

'O, nee!' zei Emmett. 'Dat moet methaanregen zijn! Ik weet niet hoelang jullie ruimtepakken tegen puur methaan kunnen. Straks gaan ze kapot.'

'Wacht even...' George tuurde naar de vreemde boot die richting de kant dreef.

'Ja, hoor,' zei Annie scherp. 'Ik wacht wel. Alsof hier iets anders te doen valt.'

'Er staat iets op geschreven!' zei George.

'O, wat griezelig!' Annie leunde naar voren om het ook te zien. De grote regendruppels spatten zachtjes op haar ruimtehelm. 'Er staat inderdaad iets. Ik zie het nu ook... Ongelooflijk!' zei ze terwijl ze naar het ronde voorwerp keek dat nu was aangespoeld. 'Kijk nou! Het komt echt van de aarde! Er staan letters op van ons alfabet!'

Op de zijkant van het bevroren voorwerp stond in grote letters het woord: HUYGENS.

'Emmett, er staat "Huygens" op,' liet Annie weten. 'Wat betekent dat? Het is toch geen bom, hè?'

'Helemaal niet!' antwoordde Emmett. 'Het betekent

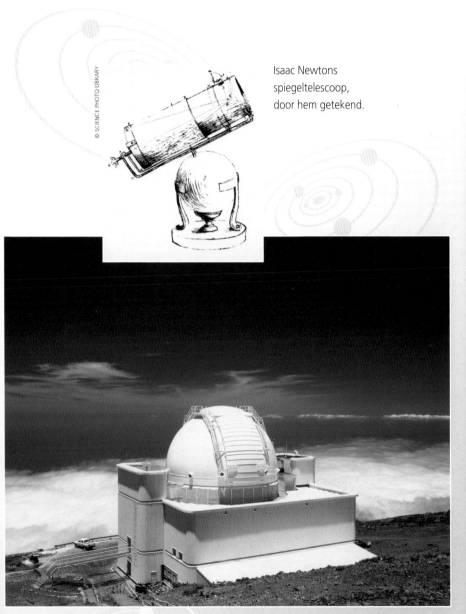

© SCIENCE PHOTO LIBRARY

Isaac Newtons
spiegeltelescoop,
door hem getekend.

Koepel van de Isaac Newton-telescoop, La Palma.

© NASA/SCIENCE PHOTO LIBRARY

De Kalahari in Namibië, gezien vanuit de ruimte.

De meteorenstorm Leoniden.

Venus met de maan, gezien vanaf de aarde.

Ruimtevaarttelescoop Hubble gezien vanaf de spaceshuttle Discovery in 1990.

De meteorenstorm Leoniden.

Venus met de maan, gezien vanaf de aarde.

Ruimtevaarttelescoop Hubble gezien vanaf de spaceshuttle Discovery in 1990.

Opname met valse kleuren van de Rosettenevel.

Opname met valse kleuren van de Tarantulanevel.

Opname door de Hubble-telescoop van botsende sterrenstelsels.

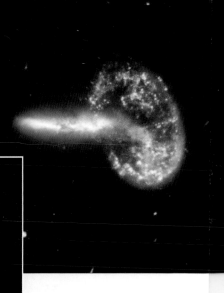

Opname met valse kleuren van een 'draaikolksterrenstelsel'.

Onder: infraroodopname van botsende sterrenstelsels.

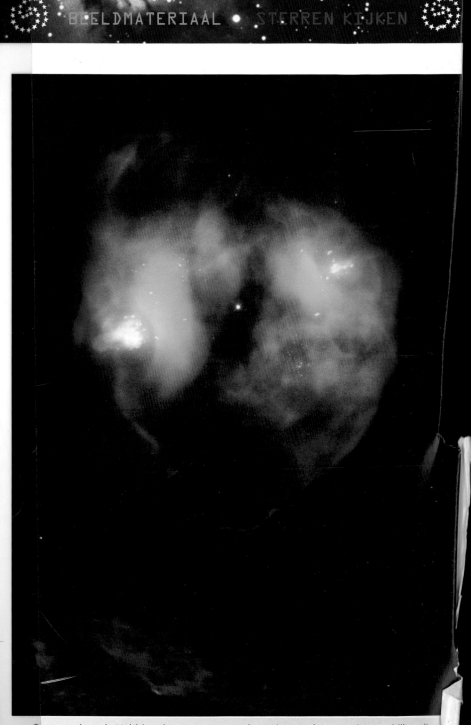

Opname door de Hubble-telescoop van een planetaire nevel: een serie gasschillen die wordt afgestoten als een ster sterft.

...veld waar de bewegingen door de zwaartekracht de aanwezigheid van ... verraden.

Computercompilatie van een reuzen-exoplaneet die in het sterrenbeeld Vosje (Vulpecula) rond een ster draait.

dat je de Huygens-sonde hebt gevonden: de ruimtesonde die ze naar Titan hebben gestuurd! Volgens mij doet
hij het niet meer, maar alsnog is het behoorlijk cool.
Letterlijk, behoorlijk koel. Ongeveer min honderdzeven-
tig graden Celsius koel!'

'Hé, maar er staat nog meer!' riep Annie uit. 'Er staan
nog andere dingen op! Er staan buitenaardse tekens
op!'

George, die aan de andere kant stond, kon het beter zien.
'Dit is geen flessenpost, maar ruimtesondepost!' riep
hij.

Op de sonde stond opnieuw een rij tekeningen.

11

Ondertussen zat Emmett op aarde midden in de steriele ruimte met Kosmos en de *Reisgids voor de ruimte* vlak voor zich. Plotseling hoorde hij allerlei geluiden. De schoonmaakmachines bij de ingang kwamen in beweging en boven de deur begon een rood bordje te knipperen: ontsmetten, stond er, en het piepte even hard als het knipperde. Emmett had het bordje niet gezien toen hij was binnengekomen, omdat hij toen zelf door de machine werd gewassen, afgedroogd en in zijn witte pak werd gehesen. Nu kon hij het gepiep moeilijk negeren. Het betekende dat er iemand binnenkwam!

Hij sprong overeind. Zijn hart klopte in zijn keel. Hij wilde Kosmos niet verplaatsen, want die was juist klaar om Annie en George te transporteren van Titan naar de plek van de volgende aanwijzing. Hij wilde echter ook niet dat iemand Kosmos zou vinden en de computer zou storen terwijl die met zo'n belangrijke en moeilijke taak bezig was.

Emmett zag iets liggen wat op een groot stuk geel keukenfolie leek. In werkelijkheid was het een stuk afdekmateriaal dat gebruikt werd om te voorkomen dat sondes tijdens hun ruimtereis oververhit raakten door de zonnestralen. Emmett legde het voorzichtig over Kosmos heen en ging toen voor de computer staan. Hij probeerde heel gewoon te doen, alsof er niets aan de hand was, alsof hij wel vaker door een steriele ruimte tussen de grote ruimteapparaten rondliep. Hij deed zijn kapje weer voor zijn mond in de hoop dat degene die binnenkwam niet zou zien dat hij een kind was en zou denken dat hij gewoon een wat klein uitgevallen steriele ruimtemedewerker was.

Uit de ontsmettingsmachine werd een figuur de steriele ruimte in geduwd. Hij stond een beetje te wankelen en zwalkte rond in zijn witte pak totdat hij weer stevig op beide benen stond. Het was onmogelijk om te zien wie hij was, helemaal omdat de ontsmettingsmachine de hoofdbedekking en het mondkapje achterstevoren had aangetrokken: waar ogen en een kin hadden moeten zitten, zat alleen donker haar.

'Au!' riep de figuur toen hij tegen een half in elkaar gezette satelliet aanliep. 'O, botsende hadron!' De figuur hinkte op één been door de ruimte. 'Ik heb mijn teen gestoten! Au! Au!'

Emmett kreeg een naar gevoel in zijn maag. Het was hetzelfde gevoel als wanneer hij iets had gegeten waar-

van hij wist dat hij er allergisch voor was. De figuur onder het witte pak kon maar één iemand zijn, en juist diegene wilde Emmett nu helemaal niet tegenkomen.

De hinkelende figuur hield op met dansen en trok zijn achterstevoren zittende kapje en hoofddeksel af. Het was, hoe kon het ook anders: Erik.

'Ah,' zei hij terwijl hij op Emmett in zijn witte pak neerkeek. 'Werkt u hier toevallig?'

'Eh, ja, jazeker!' zei Emmett met een zo'n laag mogelijke stem. 'Nou en of. Werk hier al jaren. Al heel, heel veel jaren. Ik ben in feite al stokoud. Dat kun je alleen niet zien omdat ik een kapje voor mijn gezicht heb.'

'U ziet er alleen... eh... een beetje... een beetje...'

'Vroeger was ik groter,' zei Emmett met zijn mannenstem. 'Ik ben alleen zo oud dat ik ben gekrompen.'

'Ja, ja, interessant,' zei Erik rustig. 'Eh, waar het om gaat, meneer eh...'

'Hm, hm...' Emmett schraapte zijn keel. 'Professor, om precies te zijn.'

'Natuurlijk, professor...?'

Emmett raakte in paniek. 'Professor Spock,' zei hij, omdat dat het eerste was wat in hem opkwam.'

'Professor... Spock,' herhaalde Erik langzaam.

'Eh, ja,' zei Emmett. 'Dat klopt. Professor Spock van de universiteit van... Enterprise.'

'Oké, professor Spock,' zei Erik. 'Misschien kunt u me helpen. Ik zoek een paar kinderen die ik kwijt ben. En misschien hebt u ze hier ergens zien rondlopen? Of misschien weet u, aangezien u zo oud en wijs bent, waar ik zou moeten zoeken? Op de beelden van de veiligheidscamera is te zien dat ze hiernaartoe gingen.'

'Kinderen?' herhaalde Emmett nors. 'Ik heb een hekel aan kinderen. Die komen mijn steriele ruimte niet in. Geen sprake van. Geen kinderen.'

'Het punt is,' zei Erik vriendelijk, 'dat ik de kinderen moet zien te vinden. Ten eerste omdat ik me zorgen maak en ik graag wil weten of ze in orde zijn, maar ten tweede omdat er een noodgeval is en dat heeft met een van de kinderen te maken.'

'Echt waar?' vroeg Emmett, die helemaal vergat zijn mannenstem te gebruiken.

'Ja, het gaat om zijn vader,' zei Erik tegen hem.

'Zíjn vader?' Emmett trok het kapje van zijn gezicht. 'Is er iets met mijn vader? Is er iets gebeurd?' Hij kreeg tranen in zijn ogen.

'Nee, Emmett,' zei Erik, en hij sloeg een arm om Emmett heen en klopte hem zachtjes op zijn rug. 'Het gaat niet om jouw vader, het gaat om George' vader.'

Erik vertelde over George' vader; waar hij naartoe was gegaan en waarom, en hoe hij in de Stille Oceaan verdwaald was – maar hij werd onderbroken door het geluid van de ontsmettingsmachine. *Piep! Piep!* Het rode lichtje boven de deur begon te knipperen.

'Hou je brutale robothanden thuis!' hoorden ze een boze stem schreeuwen. 'Ik ben een oude dame! U zou wat meer respect moeten tonen!'

Er klonk een krakend geluid en de machine leek te zijn vastgelopen. Daarna klonk het gestamp van voeten. De deur werd opengeduwd en er kwam een woedend kijkende oude dame binnen. Ze had een wandelstok en een handtas die beide netjes in plastic waren verpakt.

Het gepiep was opgehouden en het rode lampje was halverwege een knipper blijven hangen.

'Wat was dat in hemelsnaam allemaal?' vroeg de oude dame kwaad. Ze had helemaal geen wit pak aan, maar gewoon haar dagelijkse mantelpakje. 'Je denkt toch niet dat ik me zo door een machine laat behandelen? Ah, Erik!' zei ze toen ze hem in het oog kreeg. 'Daar ben je. Je kunt mij niet ontlopen, hoor, dat weet je toch?'

'Ik merk het,' mompelde Erik.

'Wat zei je? Ik ben doof, je zult het moeten opschrijven.' Ze trok het plastic van haar handtas en graaide naar haar notitieboekje.

'Emmett,' zei Erik op gedempte toon. 'Dit is Mabel, George' oma. Ze is vandaag aangekomen om te vragen of ik kan uitzoeken waar George' vader is. Hij is, zoals ik al zei, verdwenen toen hij met een boot de Stille Oceaan opging. De noodoproep die ik tijdens de lancering kreeg, bleek van Mabel te zijn. George' moeder, Daisy, had haar gebeld.' Hij pakte Mabels notitieboekje aan en krabbelde: *Mabel, dit is Emmett. Hij is een vriend van George en hij wilde me juist vertellen waar George en Annie zijn gebleven.*

Mabel keek naar Emmett en lachte. Het was een echte lach, vol warmte en vriendelijkheid. 'O, Erik!' zei ze. 'Emmett en ik hebben elkaar toch op het vliegveld ontmoet, dus we zijn al vrienden. Wat heb jij een slecht geheugen! Als je maar niet vergeet dat ik erg doof ben, dus als je me iets wilt zeggen, moet je het opschrijven.'

'Leef lang en vaar wel,' zei Emmett, en met zijn ene hand gaf hij haar de Vulcanogroet en met zijn andere schreef hij de groet op haar notitieboekje.

Vulcanogroet

'Dank je, Emmett,' antwoordde Mabel. 'Ik leef inderdaad al een hele tijd en ik vaar nog altijd wel.' Ze groette hem op dezelfde manier terug.

'Maar wat ik alleen niet begrijp, is hoe je George' vader wilt redden als hij op de Stille Oceaan is en jij hier bent?' vroeg Emmett. 'Ga je een raket sturen om hem op te pikken?'

'Ah, nou, vergeet niet dat ik, of eigenlijk het Global Space Agency, satellieten heeft,' zei Erik. 'Die draaien in een baan rond de aarde. Ruimtemissies kijken niet alleen verder de ruimte in, ze kijken ook terug naar de aarde zodat we kunnen zien wat er op onze planeet gebeurt. Dus heb ik aan de satellietafdeling gevraagd om goed naar dat deel van de Stille Oceaan te kijken. Als we eenmaal weten waar hij is, dan kunnen we dat aan Daisy en hun vrienden doorgeven en dan kunnen zij iemand eropaf sturen om hem te redden. Dus laten we hopen dat het allemaal goed komt.'

# SATELLIETEN IN DE RUIMTE

Een satelliet is een object dat in een baan rond een ander object zoals een maan of de aarde draait. De aarde is een satelliet van de zon. We gebruiken het woord satelliet echter meestal voor objecten die door mensen zijn gemaakt en via een raket de ruimte in worden gestuurd om een bepaalde taak uit te voeren. Zo zijn er navigatiesatellieten, weersatellieten en communicatiesatellieten.

Raketten werden rond 1000 jaar n.Chr. in het oude China uitgevonden. Vele honderden jaren later, op 4 oktober 1957, begon de ruimtevaartgeschiedenis echt toen de Russen een raket gebruikten om de eerste satelliet te lanceren die in een baan rond de aarde zou draaien. De Sputnik, een kleine bol die in staat was zwakke radiosignalen terug naar de aarde te sturen, zorgde voor veel opschudding. In die tijd werd hij de 'rode maan' genoemd en overal ter wereld probeerden mensen met hun radio zijn signaal te ontvangen. De Mark I-telescoop in Jodrell Bank in het Verenigd Koninkrijk was de eerste grote radiotelescoop die werd gebruikt als antenne om de koers van de satelliet in kaart te brengen. Sputnik werd snel opgevolgd door Sputnik II, die ook wel 'Pupnik' werd genoemd omdat er een pup aan boord was. Laika, een Russische hond, was het eerste levende wezen van de aarde dat door het heelal reisde.

De Amerikanen deden hun best om op 6 december 1957 hun eigen satelliet te lanceren maar toen de satelliet 1,2 meter van de grond was, explodeerde de raket. De lancering van de Explorer I, op 1 februari 1958, was wel een succes en vanaf dat moment vond de wedloop van de twee supermachten op aarde – de ussr en de vs – ook in de ruimte plaats. In die tijd vertrouwden deze twee grootmachten elkaar niet en al snel zag men in dat je satellieten goed kon gebruiken om te spioneren. Met foto's die boven de aarde werden genomen hoopten beide partijen meer te weten te komen over wat de ander op zijn grondgebied uitspookte. De revolutie van de satelliet was begonnen.

# SATELLIETEN IN DE RUIMTE

Satelliettechnologie werd aanvankelijk ontwikkeld voor militaire doeleinden. In de jaren zeventig van de vorige eeuw lanceerden de Amerikanen 24 satellieten die tijdsignalen en positie-gegevens terugstuurden. Dit leidde tot het eerste *global positioning system*: het gps. Deze technologie, waarmee legereenheden 's nachts door de donkere woestijn de weg kunnen vinden en langeafstands-raketten hun doel kunnen raken, wordt nu door miljoenen mensen in gewone personenauto's gebruikt om te voorkomen dat ze verdwalen! Door deze satellietnavigatie kunnen ambulances sneller een gewonde bereiken en kan de kustwacht een schip dat in nood verkeert makkelijker vinden.

Overal ter wereld is de communicatie door de satellieten veranderd. In 1962 lanceerde het Amerikaanse telefoonbedrijf Telstar een satelliet die het eerste liveprogramma van de Amerikaanse televisie in Engeland en Frankrijk uitzond. De Engelsen zagen slechts even een paar wazige beelden, maar in Frankrijk ontving men een helder beeld en goed geluid. Het lukte de Fransen zelfs om hun eigen uitzending terug te sturen: beelden van de zanger Yves Montand die 'Relax, You are in Paris' zong. Voordat er satellieten bestonden moesten gebeurtenissen worden gefilmd en de film moest met het vliegtuig worden verstuurd voordat de opnamen in een ander land op televisie konden worden uitgezonden. Nu konden grote gebeurtenissen, zoals de begrafenis van de Amerikaanse president John F. Kennedy in 1963 of het wereldkampioenschap voetbal in 1966, overal ter wereld live worden uitgezonden. Vandaag de dag communiceren we veel via internet en mobiele telefoons en ook dit zou zonder satellieten niet mogelijk zijn.

Satellietbeelden worden niet alleen door spionnen gebruikt. Doordat we vanuit de ruimte naar de aarde kunnen kijken, kunnen we patronen op aarde en in de atmosfeer ontdekken. We kunnen meten hoe het land wordt gebruikt en zien hoe steden groter worden of hoe woestijnen en bossen in omvang veranderen. Boeren gebruiken satellietbeelden om hun gewassen in de gaten te houden en kunnen bijvoorbeeld aan de hand van de beelden beslissen of er meer mest nodig is.

Satellieten hebben bovendien ons inzicht in de weersomstandigheden op aarde veranderd. We kunnen het weer nu beter voorspellen omdat we op satellietbeelden de weerspatronen kunnen zien bewegen. Satellieten kunnen het weer niet veranderen, maar ze kunnen wel orkanen, tornado's en cyclonen opsporen zodat mensen op tijd gewaarschuwd kunnen worden.

Aan het eind van de jaren negentig gaf de Topex/Poseidon-satelliet van de NASA genoeg informatie om het verschijnsel El Niño te herkennen. En Jason, een nieuwe serie satellieten van de NASA, is onlangs gelanceerd om gegevens te verzamelen over de oceanen en het klimaat op aarde. Hierdoor krijgen we meer inzicht in de klimaatveranderingen. We hebben gedetailleerde beelden van de smeltende poolkappen, van verdwijnende binnenzeeën en het stijgende zeewaterniveau: informatie die we heel hard nodig hebben!

Door de satellieten kunnen we van buitenaf naar de aarde kijken en begrijpen we onze eigen planeet beter. De satellieten hebben echter ook onze blik op de ruimte veranderd. De ruimtetelescoop Hubble was het eerste grote ruimteobservatorium. Hij draait in een baan rond de aarde en aan de hand van de waarnemingen hebben astronomen de leeftijd van het universum kunnen berekenen en hebben ze kunnen aantonen dat het heelal steeds sneller uitdijt.

Er zijn drieduizend satellieten die in een baan rond de aarde draaien en elke vierkante centimeter van onze planeet kan in beeld worden gebracht. Al die satellieten zorgen ervoor dat het daarboven behoorlijk druk is wat zelfs gevaarlijk kan zijn. Satellieten die hun baan dicht bij de aarde maken gaan behoorlijk hard: bijna 29.000 kilometer per uur. Botsingen komen niet vaak voor, maar als het gebeurt geeft het een hoop rotzooi. Zelfs een verfsplinter die met die snelheid een ruimteschip raakt, kan schade veroorzaken. Er zijn misschien wel meer dan een miljoen stukken ruimteafval die rond de aarde zweven, maar slechts ongeveer negenduizend daarvan zijn groter dan een tennisbal.

'Satellieten kunnen toch ook meten hoeveel de zee is gerezen?' vroeg Emmett.

'Ja, dat kunnen ze inderdaad,' zei Erik. 'En ik had ze graag geholpen als ze me dat hadden gevraagd. Maar vooralsnog blijft onderzoek door mensen erg belangrijk. Tijdens hun reis hebben ze vast veel geleerd over dingen waar een satelliet niet bij kan helpen. Bij dit project hadden we echter kunnen samenwerken. Misschien kunnen we dat alsnog doen. Daisy heeft Mabel gebeld om haar te vertellen dat Terence werd vermist en Mabel is direct hiernaartoe gekomen om mij te zoeken. Dat was inderdaad het slimste wat ze kon doen. We kunnen hem nu elk moment vinden,' zei hij een beetje trots. 'Maar, vertel, waar zijn George en Annie. Zijn jullie verstoppertje aan het spelen?' Hij glimlachte en Emmetts hart klopte in zijn keel.

'We eh... spelen inderdaad een soort spelletje,' stamelde hij.

'O, goed zo!' zei Erik. 'MABEL, DE KINDEREN SPELEN EEN SPELLETJE! Zeg eens, wat spelen jullie? Ik wil wel meedoen. Ik heb wel zin om een beetje lol te trappen, nu ik de lancering heb gemist.'

'Gewoon, eh... je weet wel, we spelen schatzoekertje,' zei Emmett langzaam.

'O-ké...' zei Erik.

'Een spelletje?' vroeg Mabel. 'Wat enig!'

'Ja, met aanwijzingen en die moet je opvolgen zodat je weet waar je moet zoeken,' ging Emmett verder. Hij wilde dat hij zichzelf op dat moment de ruimte in kon schieten zodat hij niets meer hoefde te zeggen.

Erik schreef iets in Mabels notitieboekje.

*Op jacht naar de schat!*

'Op jacht naar de schat! Wat geweldig!' riep ze uit terwijl ze het las. 'Maar je hebt niet alleen problemen met je geheugen, Erik, je handschrift is ook verschrikkelijk! Hoe heb je het ooit zo ver kunnen schoppen?'

'Dus wat is de aanwijzing? Waar zijn ze naartoe?'

Erik lachte nog steeds toen hij Kosmos vanonder zijn reflecterende deken heel hard 'Bliep!' hoorde zeggen. 'Opdracht voltooid! Missie fase drie is begonnen.'

Zodra Erik Kosmos' stem hoorde, verdween zijn lach. Hij rende naar de bobbel onder de reflecterende thermische deken, trok die in één keer weg en onthulde zo de super-supercomputer. 'DAT IS MIJN COMPUTER!' schreeuwde hij zo hard dat zelfs Mabel geen moeite had om hem te verstaan. 'Dus waar zijn Annie en George in hemelsnaam?'

## 12

Erik keek zo boos dat Emmett heel even voor zich zag hoe hij als een supernova zou ontploffen met een uitbarsting waarbij zoveel heldere straling vrijkwam dat het in het hele sterrenstelsel zichtbaar was. Hij keek Emmett strak aan met een blik vol nucleaire woede.

'Als jullie hebben gedaan wat ik denk dat jullie hebben gedaan...' zei hij.

Emmett deed zijn mond open en weer dicht. Als een goudvis. Hij probeerde iets te zeggen, maar er kwam geen normaal woord uit zijn mond. In plaats daarvan maakte hij een vreemd soort gorgelend geluid.

'Waar zijn Annie en George?' vroeg Erik zachtjes maar dwingend. Zijn gezicht was wit en gespannen.

'Eh... Eh... Eh...' was het enige wat Emmett kon uitbrengen.

Mabel probeerde te begrijpen wat er aan de hand was en haar scherpe blik ging van Erik naar Emmett en van Emmett naar Erik.

'Zeg op,' zei Erik. 'Ik moet het weten.'

Emmett bewoog zijn lippen maar zijn stem deed het nog steeds niet. Hij slikte en de tranen sprongen in zijn ogen.

'Goed dan,' zei Erik. 'Als je het niet wilt zeggen dan vraag ik het wel aan Kosmos.' Hij ging op zijn knieën voor de computer zitten en begon woedend te typen. 'Hoe kon je dit doen,' mompelde hij in zichzelf. 'Hoe kon je dit doen!'

Mabel hinkte naar Emmett toe en gaf hem het notitieboekje en de pen.

'Als het te moeilijk is om te zeggen,' fluisterde ze tegen hem, 'kun je het misschien opschrijven? Dan kan ik doorgeven wat je Erik wilt vertellen.'

Emmett keek haar dankbaar aan. Hij kauwde op de pen omdat hij niet goed wist waar hij moest beginnen.

'Zal ik je anders een paar vragen stellen?' zei Mabel vriendelijk. 'Dat helpt je misschien op weg. Waarom is Erik zo boos?'

*Hij is boos omdat we Kosmos, zijn speciale computer, hebben gebruikt.*

'Wat is er zo speciaal aan Kosmos?' vroeg Mabel.

*Met die computer kun je door het heelal reizen.*

'Zijn Annie en George op reis gegaan?'

Emmett knikte, met grote, angstige ogen. Maar Mabel keek hem heel lief aan en gebaarde dat hij door moest gaan met schrijven. Hij haalde diep adem en bracht de pen weer naar het papier. *Ze waren op Titan, maar ze zijn net door de opening naar de meervoudige ster gegaan die het dichtst bij de aarde is: naar de Alpha Centauri. Ze denken dat ze daar een nieuwe aanwijzing zullen vinden. De eerste aanwijzing hebben ze op aarde gekregen, de tweede op Mars en de derde op Titan.*

'Ah, de jacht op de schat.' Mabel knikte begrijpend.

Erik ramde nog steeds op het toetsenbord van

Kosmos, die hem niet leek te willen helpen. 'Laat me met rust! Toegang geweigerd,' zei de supercomputer nijdig. Emmett keek met een zenuwachtige blik naar Erik en Kosmos.

'Wie laat die boodschappen voor hen achter?' zei Mabel.

*Dat weten we niet,* schreef Emmett. *Maar elke boodschap eindigt hetzelfde; er wordt gedreigd met de vernietiging van de aarde.*

'En zijn er nog aanwijzingen over de aanwijzingen?'

*Nou,* schreef Emmett, en hij maakte een soort krabbeltje, *ik heb wel iets bedacht, maar het kan zijn dat ik het mis heb...* Hij tekende een paar stipjes.

'Ga verder,' zei Mabel terwijl Erik het uitschreeuwde van woede. Ze legde zachtjes haar hand op Emmetts schouder. 'We kijken straks wel wat er met hem aan de hand is.'

*De eerste boodschap kregen ze op de planeet aarde, waar al leven bestaat. De tweede boodschap vonden ze op Mars, waarvan we denken dat er vroeger misschien leven is geweest. De derde boodschap kregen ze op Titan. Dat is een maan van Saturnus. Titan is misschien zoals de aarde vroeger was voordat hier leven ontstond. Dus dachten we dat de vierde aanwijzing hen misschien naar Alpha Centauri zou leiden, want dat is vanaf de aarde de dichtstbijzijnde meervoudige ster en het is de dichtstbijzijnde plek waar we zouden kunnen zoeken naar tekenen van leven buiten ons sterrenstelsel. En ze moeten een planeet zoeken in een binaire, meervoudige ster. Dat staat in de boodschap.*

'Dus jij denkt dat ze een spoor van leven in het heelal volgen om te voorkomen dat de aarde ophoudt te bestaan,' zei Mabel. 'Je bent een ontzettend slimme jongen.' Ze porde Erik met haar stok in zijn rug. 'Erik!'

'Laat. Me. Met. Rust. Ik. Ben. Bezig,' zei Erik terwijl Kosmos hem hardop uitlachte.

'Nou, dat is dan jammer voor jou!' zei Mabel. 'Ik wil je iets vertellen. En als je zo oud bent als ik dan heb je het recht te spreken, of iemand nou wil luisteren of niet.

Erik, je hebt deze arme jongen zo bang gemaakt dat hij je niet eens kan vertellen wat hij weet. Dus als je wat aardiger tegen hem zou doen, zou hij niet zo verschrikkelijk bang meer zijn en zou hij je helpen.'

*Deze jongen*, schreef Erik in Mabels notitieboekje, *heeft Annie en George in gevaar gebracht. Ik ben witheet van woede.*

'Dat kunnen we wel zien,' zei Mabel. 'Maar je verdoet ook tijd die we hard nodig hebben en je moet luisteren. En ophouden Emmett de schuld te geven.'

Nu explodeerde Erik echt. 'Op de een of andere manier is het hem gelukt om mijn computer te maken, zonder het mij te vertellen,' foeterde hij. 'En daarna heeft hij Annie en George naar het heelal laten gaan, achter een of andere vage boodschap aan waarvan Annie dacht dat ze hem via de computer had ontvangen, terwijl de computer het op dat moment niet eens deed, van buitenaardse wezens die niet eens bestaan en nu hebben we geen idee hoe we ze kunnen terughalen!'

Mabel had elk woord duidelijk kunnen verstaan. 'O, hou toch op!' snauwde ze. 'Dit is Emmetts fout niet. Dit is typisch het werk van jouw dochter en mijn kleinzoon. Ze hebben overal hun sporen achtergelaten. George heeft me verteld dat hij naar Florida moest omdat Annie hem iets belangrijks moest vertellen. En dat moet dit zijn geweest. Ze zijn op een missie gegaan omdat ze dachten dat de aarde in gevaar was en dat zij er iets tegen moesten doen. Ze hebben de eerste boodschap op aarde ontvangen, maar Emmett heeft me verteld dat ze op Mars een andere aanwijzing hebben gekregen. Die aanwijzing leidde naar Titan. Ze hebben Titan net verlaten en zijn op zoek naar een planeet rond' – Mabel keek in haar notitieboekje – 'rond Alpha Centauri.'

'Wát?' zei Erik. 'Bedoel je dat ze niet zomaar op reis zijn gegaan, voor de lol? Bedoel je dat ze echt naar een plek zijn gegaan waar ze weer een nieuwe aanwijzing hebben gevonden en dat ze toen nog verder weg zijn gegaan?'

Emmett kneep zijn ogen dicht en knikte.

'Hoe, in de naam van Einstein, kan dát nou?' vroeg Erik vol ongeloof.

'Eh, ik heb een *remote portal application* gemaakt toen ik Kosmos updatete,' fluisterde Emmett, die zijn stem weer een beetje terug had. 'Dat is een soort bijzondere toepassing voor de doorgang. Het spijt me heel erg.'

Erik nam zijn bril af en wreef in zijn ogen. 'En volgens jou zijn ze naar Mars gegaan en hebben ze daar een nieuwe boodschap aangetroffen?'

'Ja,' zei Emmett. 'Die had Homer met zijn banden op het oppervlak van Mars getekend.'

Erik zette zijn bril weer op en sprong overeind. 'Emmett' – hij pakte de jongen bij zijn schouders – 'sorry dat ik tegen je heb geschreeuwd. Het spijt me echt. Maar ik moet onmiddellijk naar Annie en George toe. Kun je me naar Alpha Centauri sturen?'

Emmett kromp in elkaar. 'Ik kan het proberen,' zei hij zenuwachtig. 'Maar Kosmos doet een beetje moeilijk en ik ben bang dat hij nu al te veel van zijn geheugen gebruikt. Ik weet niet wat er zal gebeuren als ik nog iemand door de opening laat gaan.'

Erik was echter al weg om zijn ruimtepak te halen.

Emmett zakte door zijn knieën en ging met gekruiste benen voor Kosmos zitten. Mabel stond achter hem. 'Ik ben bang dat mijn arme oude gewrichten dat niet meer kunnen,' zei ze met spijt in haar stem.

'O!' zei Emmett. Onmiddellijk sprong hij weer over-eind, pakte Kosmos en zette hem op de zijkant van een satellietonderdeel zodat George' oma het scherm kon zien. Hij schoof er nog een paar machineonderdelen bij en maakte een soort stoel zodat Mabel kon zitten.

'Dank je, Emmett,' zei ze. 'Dat is erg aardig van je.'

'Geen dank,' zei hij serieus. Hij probeerde het stuk glimmende gele folie als een deken over Mabels benen te leggen maar zij hield hem tegen.

'Genoeg! Genoeg!' zei ze vriendelijk. 'Ga nu maar ver-der met je computer en maak je geen zorgen om deze oude taart.'

Zenuwachtig voerde Emmett zijn persoonlijke wacht-woord in en hoopte dat Kosmos niet zo lelijk tegen hem zou doen als hij tegen Erik had gedaan. 'Wachtwoord geaccepteerd,' zei Kosmos beleefd. Emmett typte het commando in om de locatie te vinden waar de laatste activiteit met de deur had plaatsgevonden zodat hij een nieuwe doorgang op aarde kon maken waar Erik door-heen kon gaan. Nu maakte Emmett zich niet druk om Kosmos' gedrag. Hij maakte zich zorgen omdat de taken die hij moest doen zo moeilijk waren.

'Planeet... orbit... Alpha Centauri...' zei Kosmos langzaam. 'Bezig de coördinaten te zoeken van de laatste activiteit in de meervoudige ster Alpha Centauri... bezig met zoeken... planeet in orbit... informatie ontvangen... laatste locatie...' Op Kosmos' scherm verscheen een zandloper. Emmett drukte op een paar toetsen, maar Kosmos reageerde niet. Het enige wat er gebeurde was dat het zandlopertje een paar keer knipperde, alsof het Emmett eraan wilde herinneren dat Kosmos bezig was.

Terwijl ze zaten te wachten, schreef Emmett in Mabels notitieboekje: *Ik denk dat hij te weinig geheugen heeft. Hij heeft op dit moment heel veel geheugen nodig om de doorgang naar het verre heelal in stand te houden. Volgens mij moeten we hem op dit moment geen vragen stellen die te ingewikkeld zijn.*

'Wat moeten we weten?' vroeg Mabel.

*We moeten weten waar hij Annie en George naartoe heeft gestuurd. Ze hadden hem gevraagd om hen naar een planeet van de meervoudige ster Alpha Centauri te sturen.*

## Hoe vind je in het heelal een planeet?

Planeten brengen niet hun eigen energie voort waardoor ze erg zwak lijken vergeleken bij hun eigen nucleair aangedreven ster. Als je met een sterke telescoop een foto van een planeet maakt, dan valt zijn zwakke licht bijna niet op naast het felle licht van de ster waar hij omheen draait.

Planeten kunnen echter worden ontdekt door de zwaartekracht die ze uitoefenen op hun ster. Planeten trekken met hun zwaartekracht appels, manen, satellieten en hun eigen ster aan. Net als een hond aan de riem zijn baasje kan voorttrekken, kan een planeet zijn ster rondtrekken, waarbij de riem uit zwaartekracht bestaat.

Astronomen kunnen aan een dichtbij staande ster zien, in het bijzonder aan sterren die zeer dichtbij staan zoals Centauri A of B, of eraan wordt getrokken door een niet-zichtbare planeet.

De bewegingen die een ster maakt vormen een duidelijke aanwijzing dat er een planeet in de buurt is. Die beweging kan op twee manieren worden opgespoord.

Ten eerste kan gekeken worden naar de lichtgolven van een ster die, al naar gelang de ster naar ons toe komt of van ons weggaat, worden ingedrukt of uitgerekt. Dit noemt men het dopplereffect.

Ten tweede kunnen de lichtgolven van de ster door twee telescopen (die als één telescoop werken) worden gecombineerd waardoor je de beweging van die ster kunt zien.

Met deze technieken zijn er planeten gevonden, zo klein als de aarde en zo groot als Jupiter.

Op een dag vind jij misschien wel een planeet die nog nooit iemand heeft gezien!

Geoff

## 13

'Oei!' zei Annie toen ze door de doorgang ging van Titan naar een andere planeet, die Kosmos voor hen had gevonden in de orbit rond de ster Alpha Centauri B. Ze hield haar handen voor haar ogen. Gelukkig werd het speciale glas in haar ruimtehelm even later donkerder zodat ze weer wat kon zien.

'Wauw! Dat is fel,' zei George toen hij achter haar aan stapte. Deze keer waren ze beter voorbereid dan toen ze op Mars en Titan landden. Ze hadden hun hulplijn en de metalen pennen tevoorschijn gehaald die bij het ruimtepak hoorden zodat ze zich direct vast konden maken als ze op het oppervlak van hun nieuwe planeet zouden stappen. Toen ze echter door de opening stapten, kwamen ze erachter dat ze deze keer niet wegzweefden. In plaats daarvan leek het wel of ze veel zwaarder waren dan op aarde. Ze konden nog steeds lopen, maar het kostte moeite om het ene been voor het andere te zetten.

'Oef!' zei Annie, en ze liet de lijn en de pennen vallen. 'Ik heb het gevoel dat ik in elkaar word gedrukt.' Het was alsof iemand haar tegen de witte grond duwde.

'Meer zwaartekracht!' zei George. 'We moeten op een planeet zijn die op de aarde lijkt, maar die een grotere massa heeft zodat we de zwaartekracht meer voelen dan thuis. Hij kan echter niet veel groter zijn, want dan zouden we nu al vermorzeld zijn.'

'Ik ga zitten,' pufte Annie. 'Ik ben ontzettend moe.'

'Nee! Niet doen!' zei George. 'Straks kom je niet meer overeind. Je moet niet gaan zitten, Annie, anders moeten we hier voor altijd blijven.'

Annie kreunde en leunde op hem. Het leek wel of ze een ton woog en George deed zijn best overeind te blijven en haar ook nog te ondersteunen.

'Annie, we moeten de volgende boodschap vinden en dan snel weer weggaan,' zei hij dringend. 'Er is hier te veel zwaartekracht voor ons – wij zijn niet op deze omstandigheden gebouwd. Als we mieren zouden zijn, zou het geen probleem zijn. Wij zijn echter te groot voor plaatsen met veel zwaartekracht. En het licht is hier ook te fel. Mijn ogen beginnen pijn te doen.'

Op Mars, en zeker op Titan, was het veel donkerder geweest dan op aarde, maar op deze nieuwe planeet was het licht verblindend fel. Zelfs met het speciale donkere glas in hun ruimtehelmen, dat hun ogen als een soort superzonnebrillen beschermde, was het moeilijk om iets te zien. 'Je moet niet direct in de zon kijken,' waarschuwde George. 'Hij is nog feller dan de zon bij ons.'

216

Niet dat er veel was om naar te kijken... Om hen was een kilometers lange vlakte met rotsen die in de zon lagen te bakken. George keek angstvallig om zich heen of hij ergens iets zag wat hen naar de vierde aanwijzing kon leiden.

'Wat... isss... da... daar?' vroeg Annie, die nu helemaal op George leunde. Ze wapperde met haar arm een kant op en praatte langzaam en onduidelijk.

George schudde haar door elkaar. 'Annie! Wakker blijven! Blijf wakker!' Het licht en de zwaarte op deze vreemde planeet maakten haar helemaal wazig. Hij probeerde Kosmos of Emmett te bereiken. De eerste keer kreeg hij een ingesprektoon. De tweede keer kreeg hij een opgenomen bericht dat luidde: 'Uw melding is erg belangrijk voor ons. Toets hekje plus één om doorverbonden te worden met...' maar toen was de verbinding alweer verbroken.

Annie hing helemaal over hem heen. Ze was op deze planeet ontzettend zwaar: het leek wel of hij een baby-olifant droeg. George stond daar, met Annies hoofd op zijn schouders en zijn armen om haar heen. Hij begon nu echt bang te worden. Hij stelde zich voor hoe in de toekomst de eerste interstellaire ontdekkingsreizigers een reis zouden maken naar deze planeet zonder naam, die in een baan rond een van de sterren draaide die zich het dichtst bij ons zonnestelsel bevonden. Ze zouden de resten vinden van twee menselijke kinderen, uitgeput en uitgedroogd in dit barre landschap. Hij werd nu zelf ook wazig. Hij zag voor zich hoe ze uit hun ruimteschip sprongen en deze nieuwe planeet als eersten wilden clai-men. Dan zouden ze er echter achter komen dat twee kinderen de reis van vier lichtjaren al eerder hadden gemaakt, maar dat ze niet bestand waren geweest tegen de helse omstandigheden op deze planeet die sidderde onder zijn felle ster.

Maar juist toen hij de hoop wilde opgeven en door zijn knieën begon te zakken, zag hij dat het licht aan de hemel iets zachter werd. Het felle wit werd zachtgeel.

'Kijk, Annie!' zei hij, en hij schudde haar heen en weer in zijn armen. 'De zon gaat onder! Het komt allemaal goed! Hou het nog even vol. Hij beweegt heel snel langs de hemel, sneller dan de zon thuis in elk geval. Als hij eenmaal onder is, zal het wel afkoelen en dan kunnen we op zoek naar de boodschap.'

'Huh?' zei Annie verward. Ze tilde haar hoofd op en keek over zijn schouder achter hem. 'Maar hij gaat hele-

maal niet onder! Hij komt op... het is prachtig,' ging ze
dromerig verder. 'Helder schijnende ster komt op...'

'Annie, hij komt niet op!' zei George, die dacht dat ze
wartaal uitsloeg. 'Concentreer je! De zon gaat onder, niet
op!' Het licht om hen heen werd steeds zachter.

'Doe niet zo gek!' riep Annie verontwaardigd. Haar
stem was krachtiger geworden. George was opgelucht:
als ze weer boos op hem kon zijn dan ging het vast beter
met haar. 'Ik weet echt wel wat het verschil is tussen op-
en ondergaan en deze zon gaat op!'

Ze lieten elkaar los en keken over elkaars schouders
naar de hemel.

'Hij is daar,' zei Annie, en ze wees. 'Hij gaat op!'

'Nee, hij is daar!' zei George. 'En hij gaat onder!'

'Draai je om,' beval Annie.

George draaide zich langzaam om – het was onmogelijk om op deze planeet met zoveel zwaartekracht snel te bewegen – en hij zag dat ze gelijk had. Een kleine, heldere zon kwam langzaam op boven het rotsachtige landschap. De zon had niet dezelfde kracht als de zon die aan de andere kant van de planeet onderging, maar hij wierp een vriendelijk zacht licht op hen, wat betekende dat het op deze kale, lichte planeet nooit helemaal donker was.

'Natuurlijk! Dit is een meervoudige ster, precies zoals er in de boodschap stond! Deze planeet heeft twee zonnen!' zei George. 'Ik weet zeker dat ik er op internet iets over heb gelezen. De ene zon is groter dan de andere: de zon die ondergaat moet Alpha B zijn, de ster waar deze planeet omheen draait. Hij lijkt groter omdat we er dichterbij zijn. De andere zon moet Alpha A zijn, de andere ster van de meervoudige ster Centauri. Alpha A is groter, maar we zijn er verder bij vandaan.'

Nu het licht steeds zwakker werd, konden ze het landschap beter zien. Een stukje verderop zagen ze de rand van een groot gat in de grond.

'Laten we gaan kijken,' zei Annie.

'Omdat...?' vroeg George.

'Omdat er verder niks te zien valt!' Ze haalde haar schouders op. 'En misschien ligt daarbeneden wel een nieuwe aanwijzing. Op Mars en op Titan liet Kosmos ons vlak bij een aanwijzing landen. Heb jij soms een beter idee?' Ze was duidelijk weer helemaal de oude.

'*Nope*,' zei George. Hij probeerde Emmett nog een keer te bereiken, maar hij kreeg opnieuw een ingesprektoon.

'Laten we gaan,' zei Annie. 'Ik ga alleen niet lopen.' Ze boog zich voorover en kroop op handen en voeten naar de krater.

George probeerde te lopen, maar het was erg moeilijk en het ging langzaam. Hij voelde zich net de tinnen man uit *De tovenaar van Oz*. Hij moest zijn ene been voor de andere gooien om vooruit te komen en dus besloot hij om hetzelfde als Annie te doen en hij kroop op handen

en voeten verder. Annie was al vooruit gegaan en keek voorzichtig over de rand van de krater om te zien of zich iets op de bodem bevond.

'Niks,' zei ze teleurgesteld terwijl ze in het gapende gat keek. De krater moest ontstaan zijn door een inslag van een komeet of een asteroïde.

George kroop naast haar. 'Waar zou de nieuwe aanwijzing dan z...' wilde hij zeggen. Maar hij stopte. Want op dat moment zagen ze, helemaal op de bodem van de enorme krater, iets wat ze nooit hadden verwacht. Eerst vaag, maar steeds duidelijker, zagen ze de omtrekken van een deuropening. Toen zagen ze een ruimtelaars tevoorschijn komen en nog één, en op datzelfde moment hoorde George in zijn helm het gezoem van de ontvanger.

'George!' hoorde hij. 'Dit is je oma!'

## 14

Op de bodem van de krater stapte Erik zelfverzekerd door de opening en... viel direct plat op zijn gezicht. Terwijl hij had gewacht tot hij door Kosmos' deuropening kon gaan, had hij zijn preek voor de kinderen voorbereid. Toen hij echter op de verre planeet stapte, bracht hij niets anders uit dan: 'Arrgghh!'

'Pap!' riep Annie vanaf de rand van de krater. Binnen in haar ruimtehelm barstte ze in tranen uit. Het kon haar niets schelen dat hij boos op haar zou zijn. Ze was alleen maar dolblij om hem te zien. Ze liet zich over de rand van de krater zakken en gleed op haar buik naar beneden. Terwijl Erik op zijn rug rolde, botste Annie tegen hem aan en gaf hem een dikke knuffel.

'Pap!' snikte ze. 'Het is hier zo naar! Ik vind het helemaal niet leuk op deze planeet.'

Erik zuchtte zo diep dat ook Emmett en Mabel het vele lichtjaren verderop konden horen. Hij besloot zijn preek over kinderen die door de ruimte reizen terwijl ze dat niet mogen voor later te bewaren. Nu gaf hij Annie alleen maar een dikke knuffel terug.

George' oma liet zich echter niet weerhouden. 'George!' zei ze streng via de directe verbinding met de aarde. 'Ik ben diep teleurgesteld. Je hebt me ergens ingeluisd zonder te vertellen hoe gevaarlijk het was! Ik ben heel erg boos op je omdat je niet hebt gezegd waarom je naar Amerika wilde gaan...' Ze bleef maar foeteren en George zou willen dat hij het geluid zachter kon zetten, zoals Emmett met Kosmos had gedaan. Toen keek hij in de krater en zag Erik gebaren dat hij ook moest komen.

'Sorry, oma!' zei George. 'Ik moet gaan. We spreken elkaar later.' Hij liet zich over de rand van de enorme krater zakken om naar Annie en Erik toe te gaan en het eindigde in een grote groepsknuffel in ruimtepakken op de bodem van een krater op een planeet zonder naam die in een baan rond Alpha B in het sterrenstelsel van de meervoudige ster Alpha Centauri cirkelde.

'Ik moet de doorgang even sluiten,' klonk Emmetts stem. 'Ik kan de doorgang niet openhouden en tegelijkertijd alle dingen met Kosmos doen die ik moet doen. Niet schrikken dus als de deur verdwijnt. Ik kom zo snel mogelijk bij jullie terug.'

De deuropening werd doorzichtig. George, Annie en Erik

Opkomst van de aarde boven de maan, opname door astronauten aan boord van de Apollo 8, 1968.

Het is een van de eerste beelden van de aarde gezien vanaf een andere wereld.

# Mars

Mars van dichtbij, opname met de ruimtevaarttelescoop Hubble in 2007.

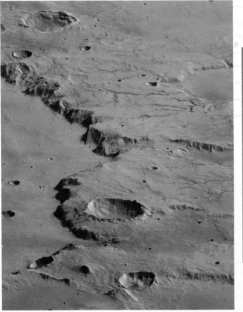

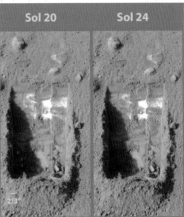

Beelden van ijs op Mars, geregistreerd door de ruimtesonde Phoenix.

Erosieverschijnselen op Mars.

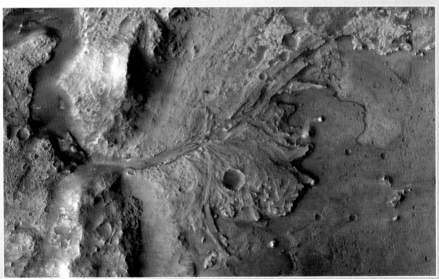

Kunstmatig gekleurd satellietbeeld van een rivierdelta op Mars.

## Titan

© NASA/UNIVERSITY OF ARIZONA LUNAR AND PLANETARY LABORATORY/STSCI/SCIENCE PHOTO LIBRARY

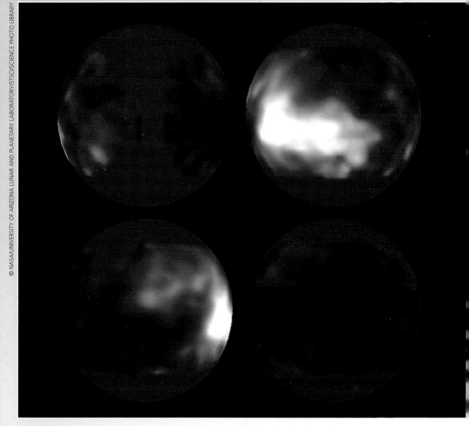

Hubble-opname van Titans oppervlakte,1994. Linksboven het halfrond aan de kant van Saturnus, rechtsonder het halfrond weg van Saturnus.

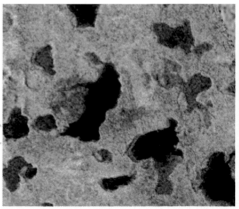

Cassini-opname van koolwaterstofmeren op Titan.

zaten met hun rug tegen de schuine wand van de krater en staarden naar Alpha A, die langs de helderblauwe
hemel bewoog.

'Zo, George en Annie,' zei Erik, die tussen hen in zat. 'Hier zijn we dan, samen, voor de tweede keer verdwaald in de ruimte.' De doorgang was nu helemaal verdwenen.

'Kunnen we nu naar huis?' snikte Annie. 'Ik heb er genoeg van.'

'Bijna, bijna,' zei Erik rustig. 'Zodra het Emmett is gelukt om de doorgang voor de terugweg te maken.'

'Wát?' riep George uit. Hij probeerde rechtop te gaan zitten, maar merkte dat de zwaartekracht sterker was dan hij. Hij leunde weer achterover. 'Bedoel je dat we niet terug naar de aarde kunnen?'

'Ik ben bang van niet,' zei Erik zachtjes. 'Kosmos heeft wat problemen, maar Emmett lost ze wel op. Ik zou het niet aan hem hebben overgelaten als ik niet zeker wist dat hij de beste man voor deze taak was. Hij heeft al dingen met Kosmos gedaan waar ik niet eens van had kunnen dromen.'

'Dus je bent hiernaartoe gekomen om ons te zoeken terwijl je wist dat je misschien niet terug zou kunnen?' zei Annie. 'Dat we hier misschien voor altijd zouden moeten blijven?'

'Natuurlijk,' zei Erik. 'Ik kon jullie toch niet aan jullie lot overlaten, of wel soms?'

'O, papa!' huilde Annie. 'Het spijt me zo! Straks veranderen we op deze verschrikkelijke planeet in een stelletje braadworstjes en dat is allemaal mijn schuld!'

'Doe niet zo raar, Annie. Dit is jouw schuld niet en alles komt goed. En we veranderen niet in braadworstjes want zo lang blijven we hier niet,' zei Erik overtuigend. 'Maar we moeten wel weg zijn voordat Alpha B weer opkomt want die ligt te dicht bij zijn ster. Daardoor is hier geen water en geen leven. We gaan ergens anders naartoe. Ergens waar het prettiger is.'

'Dus Kosmos kan ons nog verder weg het heelal in sturen?' zei George hoopvol. Hij wilde nooit van zijn leven nog een keer het verblindende licht van Alpha B zien.

'Ja,' zei Erik, zelfverzekerder dan hij zich voelde. 'Soms moeten we heel ver reizen om ergens naar terug te kunnen gaan. Dus maak je geen zorgen als je denkt dat we de verkeerde kant op gaan. Zie het maar als een steeds ruimer wordend perspectief.'

'Hoeveel tijd hebben we voordat Alpha B weer opkomt?' vroeg George.

'Ik weet het niet precies,' zei Erik. 'Maar we moeten voor zonsopgang weg zijn.'

'Waar gaan we naartoe?' zei Annie.

'Naar een andere planeet,' zei Erik. 'Kosmos zoekt uit naar welke planeet we kunnen gaan. Emmett heeft me verteld dat jullie aanwijzingen volgden die jullie door het heelal stuurden: een soort kosmische jacht op de schat.'

'Eh, ja,' gaf George toe. 'We zijn steeds verder gegaan omdat we op elke planeet een nieuwe boodschap vonden die ons naar een andere plek leidde.'

'En jullie zijn hier gekomen omdat de boodschap op Titan was dat jullie naar een planeet van een meervoudige ster moesten gaan die om een van de sterren draaide?'

'We dachten slim te zijn,' zei Annie somber.

'Maar dat zijn jullie ook geweest!' zei Erik. 'Jullie alle drie. Emmett denkt dat de boodschappen een speurtocht waren op zoek naar tekenen van leven. Als hij gelijk heeft dan moeten we een planeet vinden die in de Goldilockszone van zijn ster ligt. Dat wil zeggen dat het op die planeet niet te warm en niet te koud moet zijn, maar precies goed.'

'O!' zei George. 'Ik begrijp het al: op deze planeet is het te heet! Dus weten we dat dit niet de goede planeet is.'

'En ik kan nog een reden bedenken waarom dit niet de planeet is die we zoeken. Hoeveel sterren gaf de boodschap aan?'

'Twee,' zei George.

'Hier zijn er drie,' zei Erik. 'Die zwakke ster, de ster die je nauwelijks kunt zien, dat is Proxima Centauri. Hij heet zo omdat die zich het dichtst bij de aarde bevindt. Dit is dus een drievoudige ster.'

'O, nee! Verkeerde planeet, verkeerde meervoudige ster,' zei George. 'Wat moeten we nu doen?'

'Geloof je ons inmiddels wel, over de aanwijzingen en de boodschappen?' kwam Annie tussenbeide.

'Ja, liefje,' gaf Erik toe. 'En het spijt me. Ik weet zeker dat die boodschappen voor mij waren bedoeld, niet voor jullie. Als ik jullie op dit moment terug naar aarde zou

# ALPHA CENTAURI

Met een afstand van ruim vier lichtjaar is de Alpha Centauri de dichtstbijzijnde ster van onze zon. 's Nachts zien wij hem als één ster, maar eigenlijk is het een drievoudige ster. Twee zonachtige sterren, Alpha Centauri A en Alpha Centauri B – met een afstand ertussen die 23 keer groter is dan de afstand tussen de aarde en de zon – draaien in ongeveer tachtig jaar om elkaar heen. Er is een derde, zwakkere, ster in het systeem die Proxima Centauri heet. Deze cirkelt op grote afstand rond de andere twee sterren. Voor ons is de Proxima de dichtstbijzijnde van de drie.

Alpha B is een oranje ster, iets koeler dan onze zon en iets minder massief. Men vermoedt dat het Alpha Centauri-systeem ongeveer duizend miljoen jaar eerder ontstond dan ons zonnestelsel. Zowel Alpha A als Alpha B zijn stabiele sterren, zoals onze zon, en net als onze zon kunnen ze zijn ontstaan vanuit een nevel met gas- en stofdeeltjes.

Alpha A is een gele ster die erg op onze zon lijkt, maar hij is helderder en iets groter.

In 2008 opperden wetenschappers het idee dat planeten ontstaan zouden kunnen zijn rond een of twee van dit soort sterren. Met een telescoop in Chili wordt Alpha Centauri nu nauwlettend geobserveerd om te kijken of bewegingen in het licht erop wijzen dat er planeten rond het stersysteem draaien. Astronomen willen weten of zich in de buurt van deze heldere, rustige ster een planeet bevindt die op de aarde zou kunnen lijken.

Alpha A en Alpha B zijn binaire sterren: als je op een planeet zou staan die om een van de sterren draait, zou je op een bepaald tijdstip twee zonnen aan de hemel zien!

Alpha Centauri is vanaf de aarde vanaf het zuidelijk halfrond zichtbaar en maakt deel uit van het sterrenbeeld Centaurus. Zijn echte naam – *Rigel Kentaurus* – betekent voet van de centaur. Alpha Centauri is zijn naam in de Bayer-aanduiding (een benamingssysteem voor sterren dat in 1603 werd ontwikkeld door de astronoom Johann Bayer).

kunnen sturen, zou ik dat doen. Maar dat gaat niet en ik kan jullie hier ook niet achterlaten. Ik denk dus dat we deze kosmische jacht op de schat samen moeten afmaken. Oké?'

Annie ging dichter tegen hem aan zitten. 'Zeker,' zei ze zonder een spoortje twijfel in haar stem.

'Ik ook,' zei George. 'Laten we dit samen doen en uitzoeken wie die boodschappen stuurt.'

'Ik roep Emmett op om te vragen of hij de deuropening kan laten verschijnen,' zei Erik. Aan één kant van de krater konden ze het licht van de zonsopgang al zien. Alpha B kon elk moment boven de horizon uit komen. 'Emmett!' riep hij. 'Is het al mogelijk om een enkeltje aarde te boeken?'

'Nog niet,' zei Emmett. 'Maar ik heb wel ander nieuws...'

## De Goldilocks-zone

In onze Melkweg komen minstens honderd miljard rotsachtige planeten voor. Onze zon heeft er vier: Mercurius, Venus, aarde en Mars, maar alleen op onze planeet komt leven voor.

Waarom is de aarde zo speciaal?

Het antwoord is water, en dan in het bijzonder vloeibaar water. Water zorgt ervoor dat chemicaliën afgebroken, verplaatst en weer in elkaar worden gezet als nieuwe biologische bouwstenen zoals proteïnen en dna. Zonder water lijkt leven niet waarschijnlijk.

Om leven mogelijk te maken moet de temperatuur van een planeet tussen nul en honderd graden Celsius liggen zodat water vloeibaar blijft.

Een planeet die te dicht rond zijn ster draait, krijgt zoveel lichtenergie dat het er te heet wordt en al het water in stoom verandert.

Planeten die te ver van hun zon staan, krijgen weer zo weinig lichtenergie dat het er heel koud is en het water in ijs verandert. Zo is bijvoorbeeld het water op Mars vastgevroren op zijn noord- en zuidpool.

Er is een specifieke afstand voor elke ster waar een planeet net zoveel warmte verliest als hij krijgt. Dat evenwicht in energie is eigenlijk een soort thermostaat die ervoor zorgt dat de temperatuur gemiddeld lauw blijft. Precies goed om het water van de meren en oceanen vloeibaar te houden. In deze Goldilocks-zone ('de zone van Goudlokje') rond een ster blijven planeten miljoenen jaren warm en waterrijk. Hierdoor kan de scheikunde van het leven groeien en bloeien.

Geoff

'Je hebt een planeet gevonden die geschikt zou kunnen zijn, een planeet met ongeveer dezelfde afmeting als de aarde en die zich in de Goldilocks-zone bevindt?'

'Klopt,' zei Emmett een beetje onzeker. 'Tenminste, we hebben in elk geval iets. Het was het beste wat we konden vinden. Het is alleen geen planeet. Het is een maan.'

'Hoe gaat het met Kosmos?' vroeg Erik.

'Ik wil dat jullie één ding weten,' onderbrak Mabel, 'ik heb George' ouders beloofd dat ik ervoor zou zorgen dat hij niet in de problemen zou komen! Het zal heel, heel moeilijk worden om dit aan Terence en Daisy uit te leggen...'

'Kosmos werkt,' zei Emmett zenuwachtig. 'Ik ben bijna klaar met het updaten van de doorgang naar aarde. Zodra ik klaar ben, kunnen jullie terug. Houden jullie het daar nog even vol?'

Felle lichtstralen kropen al over de rand van de krater en maakten de schaduwen langer.

'Nee, we kunnen hier niet langer blijven,' zei Erik. 'Stuur ons verder weg, Emmett. En maak je geen zorgen, Mabel. We komen terug.'

## 15

Alpha B kwam op terwijl ze door de opening gingen. Hij
scheen helder op de hete, zware planeet. Om niet op te
hoeven staan staken ze hun voeten eerst door de deuropening en zodra Erik erdoor was, sprong hij op om de
kinderen te helpen.

Ze kwamen overeind en merkten dat ze op dit rotsachtige oppervlak van deze nieuwe plek makkelijk rechtop
konden staan. Ze zweefden niet weg en ze werden niet
naar beneden gedrukt. Het voelde normaal, alsof ze gewoon konden bewegen en geen touwen nodig hadden
en niet hoefden te kruipen.

Het licht was hier prettig. Het kwam van een ster die aan de hemel stond en die een beetje op de zon van de aarde leek. Hij was niet te fel, maar het was er ook niet erg koud: er lag geen ijs op de rotsen zoals op Mars en Titan. In de verte hoorden ze een kabbelend, ruisend geluid. Het zag ernaar uit dat ze op de bodem van een rotsvallei waren.

'Wat is dat geluid?' vroeg Annie. 'En waar zijn we? Zijn we terug op aarde?'

'Het lijkt wel water,' zei George, 'maar ik zie nergens water.'

'We zijn in het sterrenstelsel van 55 Cancri,' zei Erik. 'Dat is een dubbelster. De ster die je daar aan de hemel ziet schijnen, is een gele dwergster, net als onze zon. Verder weg is nog een gele dwergster.'

Emmett voegde er vanaf de aarde aan toe: 'Jullie zijn op de maan van de vierde planeet rond 55 Cancri A. De planeet ligt in de leefbare zone – de Goldilocks-zone – van de ster, maar de planeet zelf is een gasreus, ongeveer half zo groot als Saturnus, dus volgens mij willen jullie daar niet landen.'

'Goed gedaan, Emmett,' zei Erik. 'Ik voel er niets voor om door gaslagen te vallen. Vandaag niet in elk geval. Je hebt de juiste beslissing genomen.'

De kinderen strekten hun armen en benen uit. Het was fijn om weer vrij te kunnen bewegen.

'Kunnen we onze ruimtehelmen nu afzetten?' vroeg Annie.

'Nee, geen sprake van!' zei Erik. 'We weten helemaal niet waar de atmosfeer uit bestaat. Ik zal je zuurstof-meter controleren.' Hij keek naar haar zuurstoftank en zag dat de meter bijna in het rood stond. Ze had dus niet veel lucht meer. Hij controleerde die van George, maar zijn meter stond nog in het groen. Erik zei niets, maar riep Emmett weer op. 'Emmett, hoelang duurt het nog voor we terug naar aarde kunnen?'

'Ik heb honger,' kreunde Annie. 'Zou er hier iets te eten zijn?'

'Ik denk niet dat er aan het eind van het heelal ergens een restaurant te vinden is,' zei George.

'We zijn nog niet aan het eind van het heelal,' zei Erik terwijl hij op Emmetts antwoord wachtte. 'Nog lang niet. We zijn eigenlijk nog vrij dicht bij de aarde: we zijn maar eenenveertig lichtjaren van de aarde verwijderd. In ruimtetermen is dat niet ver, het is te vergelijken met de reis die George van Europa naar Amerika heeft gemaakt; het is wel een onderneming, maar het is nog geen heroïsche reis.'

'En de aanwijzing?' zei George. 'Moeten we niet kijken of hier een aanwijzing voor ons is? We zijn hier toch om de planeet aarde te beschermen tegen iemand die hem wil vernietigen?'

'Hm...' Erik keek verontrust: Emmett liet niets meer van zich horen. 'Volgens mij heeft degene die de boodschappen heeft gestuurd, ons alleen maar bang willen maken,' zei hij. 'Ik kan niet bedenken wie of wat er op dit moment sterk genoeg is om onze hele planeet te vernietigen. Er zou meer energie voor nodig zijn dan wij ooit hebben voortgebracht. Het was maar een bedreiging om er zeker van te zijn dat wij de boodschappen niet negeerden.'

'En de aanwijzing?' zei George. 'Moeten we niet kijken of hier een aanwijzing voor ons is? We zijn hier toch om de planeet aarde te beschermen tegen iemand die hem wil vernietigen?'

'Hm...' Erik keek verontrust: Emmett liet niets meer van zich horen. 'Volgens mij heeft degene die de bood-

# 55 CANCRI

 55 Cancri is een stersysteem dat 41 lichtjaren van ons is verwijderd en dat in de buurt ligt van het sterrenbeeld Kreeft. Het is een meervoudige ster: 55 Cancri A is een gele ster en 55 Cancri B is een kleinere, rode dwergster. Deze twee sterren draaien om elkaar heen op een afstand die duizend keer groter is dan de afstand tussen de aarde en de zon.

Op 6 november 2007 ontdekten astronomen iets heel bijzonders: ze zagen dat er een vijfde planeet rond Cancri A draaide. Voor zover we weten is dit – op onze zon na – de enige ster met zoveel planeten!

De eerste planeet die rond Cancri A draait werd in 1996 ontdekt en men noemde hem Cancri b. Hij heeft dezelfde omvang als Jupiter en staat het dichtst bij de ster. In 2002 ontdekte men nog twee planeten (Cancri c en Cancri d) en in 2004 ontdekte men de vierde planeet, Cancri e, die dezelfde omvang als Neptunes heeft en die er drie dagen over doet om om een baan rond Cancri A te maken. Op deze planeet moet het ongelooflijk heet zijn met temperaturen rond de 1500 graden Celsius.

De massa van de vijfde planeet, Cancri f, is ongeveer de helft van de massa van Saturnus en hij ligt in de leefbare zone (de Goldilocks-zone) van zijn ster. Deze planeet is een grote gasreus en bestaat voornamelijk uit helium en waterstof, zoals Saturnus in ons zonnestelsel. Maar misschien bevinden zich rond Cancri f manen of rotsachtige planeten binnen de leefbare zone waar vloeibaar water aanwezig is.

De afstand tussen Cancri f en de ster waar hij omheen draait is 0,781 astronomische eenheid (AE, in het Engels AU). Een astronomische eenheid is een maateenheid die astronomen gebruiken als ze het over de omloopbaan van een ster hebben. Eén AU is ongeveer 150 miljoen kilometer, wat gelijk is aan de gemiddelde afstand tussen de aarde en de zon. Aangezien er op aarde leven mogelijk is en vloeibaar water is, gaat men ervan uit dat het leefbare gebied zich op een afstand bevindt van één AE of 150 miljoen kilometer van de zon. Als een ster met ongeveer dezelfde massa, leeftijd en lichtsterkte als onze zon een planeet heeft die op één AU rond zijn ster draait, dan kunnen we ervan uitgaan dat die planeet zich in de leefbare zone bevindt. Cancri A is een oudere en zwakkere ster dan onze zon en astronomen hebben berekend dat zijn leefbare zone tussen 0,5 en 2 AE ligt. Dat betekent dat Cancri f een gunstige positie heeft!

Het is erg ingewikkeld om meerdere planeten rond een ster waar te nemen omdat elke planeet zijn eigen beweging veroorzaakt. Om meer dan een planeet waar te kunnen nemen, moeten astronomen in staat zijn om een beweging binnen een beweging te zien. Astronomen in Californië hebben 55 Cancri meer dan twintig jaar geobserveerd om deze ontdekkingen te kunnen doen.

*Illustratie van het 55 Cancri-systeem (links) met een klein bruin dwergsterrenstelsel in het sterrenbeeld Kameleon (rechtsboven).*

schappen heeft gestuurd, ons alleen maar bang willen maken,' zei hij. 'Ik kan niet bedenken wie of wat er op dit moment sterk genoeg is om onze hele planeet te vernietigen. Er zou meer energie voor nodig zijn dan wij ooit hebben voortgebracht. Het was maar een bedreiging om er zeker van te zijn dat wij de boodschappen niet negeerden.'

'Maar misschien beschikken die buitenaardse wezens wel over energiebronnen waar wij ons niet eens een voorstelling van kunnen maken,' zei Annie. 'Hoe kun je nou weten dat er niet ergens in het heelal een superras is? Die boodschappen zijn toch niet door een paar bacteriën gestuurd?'

'Daar moeten we, neem ik aan, nu achter zien te komen, Annie,' zei Erik, en op een andere toon ging hij verder: 'Waarom ga je niet zitten om een beetje uit te rusten? Probeer even niet te praten en doe het een beetje rustig aan.'

'Maar ik wil juist wel praten,' zei Annie. 'Ik vind praten leuk. Daar ben ik goed in. En voetbal. Ik ben goed in voetbal. En natuurkunde. Daar ben ik heel goed in, of niet soms, pap?'

'Ik weet het,' zei Erik geruststellend. 'Maar je hebt niet veel zuurstof meer, dus wil ik dat je even stil bent, tot dat we weten wanneer we weer naar huis kunnen.'

George keek om zich heen. Hij bestudeerde de ravijnen en de bergen op deze rotsachtige planeet en zocht naar de bron van het kabbelende geluid. Plotseling, aan de andere kant van de vallei, zag hij iets bewegen.

'Daar!' zei hij zachtjes tegen Erik. Annie was even verderop op een rots gaan zitten.

'Het beweegt,' mompelde Erik toen hij het zag. 'Maar wat is het?'

Het ding bevond zich in de schaduw dus ze konden niet eens zien wat voor een vorm het had. Het enige wat ze konden zien was dat het dichterbij kwam. Het was een grote, zwarte vlek die op hen af kwam.

'George,' zei Erik. 'Roep Emmett op, nú! Zeg hem dat we een buitenaards wezen zien en dat ik wil dat hij de doorgang opent en jou en Annie direct terughaalt.'

'Emmett...' George probeerde hem te bereiken. 'Emmett... Emmett, hoor je mij, over... Emmett, je moet ons overstralen.'

De vorm kwam langs de donkere kant van het ravijn naar hen toe en bleef buiten het bereik van de stralen van de gele dwergster, Cancri A. Terwijl het naar hen toe kroop, zagen ze dat het twee felrode speldenprikken in het midden had, als een paar vurige ogen.

'Annie,' zei Erik, 'sta op en kom achter me staan. Er komt een buitenaards wezen op ons af.'

Annie kwam overeind, ging snel achter haar vader staan en loerde achter zijn rug langs. De zwarte vorm kwam dichterbij en de rode lichtjes in het midden schenen met een helse woede hun kant op. Toen het dichterbij was gekomen, konden ze zien dat het bijna de vorm had van een menselijk wezen, helemaal in het zwart gekleed, met scharlakenrode ogen die in zijn buik gloeiden.

'Blijf staan,' zei Erik. 'Wat je ook bent, kom geen stap dichterbij.' Het ding trok zich er niets van aan en liep door. Het stapte uit de schaduw in het licht. En toen begon het te praten.

'Zo, Erik,' raspte de stem door hun ontvangers, 'ik wist dat we elkaar zouden weerzien.'

## 16

'O, mijn god. Het is Kuiper!' riepen Annie en George tegelijkertijd.

Voor hen, in een zwart ruimtepak met een zwarte helm met zwart glas, stond niemand anders dan Eriks Nemesis, dr. Roeland Kuiper, Eriks vriend van vroeger en oud-collega die zich tegen hem had gekeerd en die zijn aartsvijand was geworden.

Nog niet zo heel lang geleden had Erik dr. Kuiper laten gaan om ergens anders een nieuw leven te kunnen opbouwen. Dr. Kuiper, die zich als leraar op George' school had voorgedaan, had Erik in een zwart gat gelokt en hij had zijn supercomputer gestolen, en toch had Erik hem hier niet voor willen straffen.

Het zag ernaar uit dat dit een verschrikkelijke fout was geweest. Kuiper was terug en in zijn zwarte pak op deze verre maan zag hij er duizend keer enger uit dan de laatste keer dat Annie en George hem hadden gezien.

Kuiper was deze keer ook niet alleen. Hij hield iets in zijn handen wat op een klein dier met felle, gloeiende rode ogen leek. Met zijn pootjes krabbelde hij aan het zwarte, glimmende materiaal van Kuipers ruimtehandschoenen.

'Ach, kijk!' zei Annie. 'Hij heeft een lief, klein, harig beestje op deze planeet gevonden!' Ze wilde een stap naar voren zetten, maar Erik hield snel zijn arm voor haar zodat ze niet dichter bij Kuiper kon komen. Het wezentje blies en liet zijn tanden zien. Kuiper aaide het beestje met één hand over zijn kop.

'Rustig maar,' zei hij gladjes. 'Maak je niet druk, Poekie. We zijn zo van ze af.'

'Je kunt ons niet vernietigen, Kuiper,' zei Erik verdedigend. Achter hem probeerde George wanhopig contact te krijgen met Emmett.

'Is dat de jongen?' vroeg Kuiper. 'Is dat de jongen die de vorige keer al mijn plannen door de war heeft geschopt? Wat aardig dat je hem ook mee hebt gebracht. Dat is zo' – het diertje maakte een afschuwelijk grommend geluid – 'attent van je. En je dochter. Wat leuk.'

'Kuiper, doe met mij wat je wilt,' zei Erik, 'maar laat de kinderen met rust. Laat ze gaan.'

'Zal ik ze laten gaan?' zei Kuiper, alsof hij het overwoog. 'Wat vind jij ervan, Poekie?' Hij krabbelde op Poekies kop. 'Zullen we de kinderen laten gaan?' Het beestje blies hard. 'Het probleem is,' legde hij uit, 'dat de kinderen nergens naartoe kúnnen. Ik weet dat je contact probeert te krijgen met je vriendje Kosmos, en het is echt hartverwarmend hoeveel vertrouwen je in hem hebt, maar het is zonde van je zuurstof. Poekie hier zendt namelijk een zeer sterk signaal uit dat alles blokkeert.'

'Wát!' riep Erik uit. 'Wat is Poekie voor iets?'

'Mijn lieve, kleine Poekie,' zei Kuiper, 'is mijn vriend. Is hij niet enig? Twee keer zo sterk als Kosmos en zoveel kleiner. Je zou kunnen zeggen dat Poekie een nano-Kosmos is. Ik heb hem vermomd als hamster, want wie komt er nou op het idee om een supercomputer in een hamsterkooi te zoeken?'

'Wát?' zei Erik. 'Je hebt een nieuwe versie van Kosmos gebouwd?'

'Waar dacht je dan dat ik al die tijd mee bezig was?'

snauwde Kuiper. 'Dacht je dat ik zou vergeten wat er allemaal is gebeurd? Of dacht je soms dat ik je zou vergéven?' Hij sprak dat laatste woord op een heel nare toon uit. 'Alleen gelukkige mensen zijn in staat te vergeven. Mensen zoals jij, Erik. Mensen die alles krijgen wat ze willen. Voor jou is het makkelijk om te vergeven, met je prachtige carrière en je geweldige gezin en je fijne huis en je behulpzame supercomputer. Jij hebt altijd alles gekregen wat je wilde hebben. Tot nu toe dan.'

'Kuiper, waarom heb je ons hiernaartoe gehaald?' vroeg Erik dwingend. 'Jij was het, hè? Jij hebt die boodschappen achtergelaten, of niet soms?'

'Dat was ik, inderdaad,' zuchtte Kuiper. 'Je hebt het eindelijk geraden! Je hebt er wel lang over gedaan, hoor. We hebben eindeloos berichten naar Kosmos gestuurd. We dachten bijna dat je de handschoen nooit zou oprapen. Het is niks voor jou om zo langzaam te zijn. En ja, voordat je het vraagt, ik was degene die geintjes uithaalde met je kleine, lieve robot, Homer. Poekie wist hem tijdens de afdaling te onderscheppen en heeft met zijn programmering gerommeld. Ik had verwacht dat je alles wat Homer deed in de gaten zou hebben. Maar nee. Zelfs dat duurde een eeuwigheid. Je bent een ongelooflijke amateur, Erik. Ik had meer van je verwacht.'

'Het was Erik niet!' George deed boos een stap naar voren. 'Wij waren het! Wij hebben de boodschappen gelezen en zijn achter je aan gekomen.'

'O, het wonderkind!' zei Kuiper. 'De kleine mini-Erik.

Loop hem maar achterna, het is maar wat je leuk vindt.'

'Kom hier, George,' waarschuwde Erik. 'En blijf Kosmos oproepen. Ik geloof niet dat die nanocomputer zo sterk is als Kuiper beweert.'

Kuiper lachte. Het was een afschuwelijk krassend geluid. 'Je denkt dat je slim bent, hè, Erik? Op zoek naar een teken van leven in het universum. Maar je bent lang niet zo slim als ik. Dat is de reden waarom je nu hier bent. Om dat eindelijk te bewijzen.'

'Om wát te bewijzen?' brieste Erik. 'Tot nu toe heb je helemaal niks bewezen, Kuiper. Je hebt alleen aangetoond dat wij al die jaren geleden de juiste beslissing hebben genomen om jou bij Kosmos weg te houden.'

'Altijd het heilige boontje uithangen, hè?' snauwde Kuiper terug. 'Jij was degene die de wetenschap wilde gebruiken voor het welzijn van de mensheid. Is je dat gelukt, Erik? Zijn die mooie mensen van je niet bezig om die prachtige planeet waar ze op wonen te vernietigen? Waarom help je ze niet een handje? Waarom geven we die aarde met al die gekken die erop wonen niet op en beginnen we ergens anders opnieuw? Hier bijvoorbeeld. Op een nieuwe planeet. Daarom heb ik je hiernaartoe gelokt, Erik. Om dit te laten zien. Ik heb jouw doel bereikt. Ik heb een plek gevonden waar nieuw leven zou kunnen ontstaan; een plek waar een intelligente vorm van leven zich kan ontwikkelen. Waar misschien zelfs al een eenvoudige levensvorm aanwezig is.' Hij hield een flesje met heldere vloeistof in de lucht. 'Dit heb ik gevonden,' zei hij. 'Het elixer van leven.'

'Je weet helemaal niet of dat water is!' zei Erik. 'Je weet niet eens wat dat is.'

'Ik weet wel dat ik het eerder heb gevonden dan jij. Wat het dan ook is, ík heb het gevonden, Erik, niet jíj. Ik heb de nieuwe planeet aarde gevonden. Hij is van mij en ik bepaal wie hier mag komen en wie niet. En als de aarde eenmaal *boem*! zegt, dan heers ik over het menselijk ras.'

De ogen van de kosmische hamster gloeiden als kooltjes. Terwijl Kuiper aan het woord was, wriemelde het beestje opgewonden met zijn pootjes heen en weer.

Erik schudde zijn hoofd. 'Kuiper,' zei hij somber, 'ik heb medelijden met je.'

Kuiper brulde. 'Hoezo medelijden? Ik ben de winnaar!'

'Nee, dat ben je niet,' zei Erik. 'Je hebt een hekel aan mensen. Je denkt dat wij onze planeet verpesten. En dus hou je al je kennis voor jezelf en wil je niets met anderen delen of misschien alleen als ze er heel veel geld voor betalen. Daarom heb ik medelijden met je. Je hebt jezelf afgesloten voor alles wat goed is of interessant of mooi: voor alles wat menselijk is.

Kijk eens naar je nieuwe versie van Kosmos. Hij is walgelijk. En volgens mij heeft hij last van haaruitval.'

Poekie keek woedend. Kuiper sprong op zijn ruimtelaarzen heen en weer van boosheid.

Achter Eriks rug was Annie met haar vingers aan het aftellen. Ze hield haar hand voor George' vizier en zonder iets te zeggen, telde ze: vijf, vier, drie, twee, een! Toen ze bij één was, stormden de twee kinderen met hun hoofden omlaag naar voren en bonkten met hun helmen in Kuipers buik.

George greep Poekie beet en rende weg terwijl Annie Kuiper een behendige trap in zijn maag gaf. Kuiper was zo verrast dat hij achterovertuimelde en kreunend op zijn rug bleef liggen. Hij leek op een grote tor die zich niet meer kon omdraaien. Het flesje met vloeistof vloog door de lucht en kwam tegen een rots waar het heldere vloeistof wegsijpelde. Erik rende op Kuiper af en zette zijn zware ruimtelaars op zijn borst.

'Roeland,' zei hij, 'dit is niet de reden waarom we zijn gaan studeren. We zijn gaan studeren omdat de wetenschap boeiend is en spannend, omdat we het heelal wilden onderzoeken en achter de geheimen van het universum wilden komen. We wilden begrijpen, weten, bevatten en we wilden een hoofdstuk toevoegen aan de geschiedenis van de menselijke zoektocht naar kennis. We maken deel uit van een lange traditie. We maken gebruik van de kennis van degenen die ons voor zijn gegaan om steeds meer te weten van dit wonderbaarlijk heelal waarin we leven. En om te begrijpen waarom we hier zijn en hoe het allemaal is begonnen. Dat is wat we doen, Roeland. We komen vooruit door onze kennis te delen. Niet door haar voor onszelf te houden. We leggen uit, we onderwijzen, we zoeken. We brengen de mensheid een stapje vooruit door de geheimen die we ontmantelen aan anderen door te geven. We proberen een betere wereld te maken op welke planeet

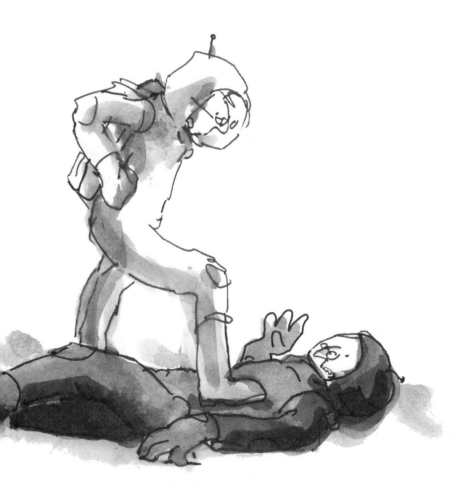

we ook wonen, maar we zoeken geen nieuwe planeet om er alleen zelf gebruik van te mogen maken.'

Kuiper luisterde echter helemaal niet. 'Geef Poekie terug,' gromde hij. 'Hij is van mij. Je hebt Kosmos al van me afgepakt. Laat Poekie nu met rust. Ik kan niet zonder hem.'

'Poekie is maar een voorwerp,' zei Erik. 'Net als Kosmos.'

'Nee, het is niet eerlijk!' tierde Kuiper. 'Dat zeg je alleen maar omdat jij Kosmos hebt! En jij hebt hem niet eens nodig! Jij begrijpt het heelal. Ik niet! Daarom wilde ik Kosmos hebben, Erik. Je hebt geen idee hoe het is om normaal te zijn, zoals ik.' Hij begon te snikken.

George had moeite om Poekie vast te houden. 'Ik weet niet hoe ik hem uit moet zetten!' zei hij tegen Annie.

'Je moet over zijn kop aaien,' zei ze. 'Dat deed Kuiper ook. Daar moet het knopje zitten.'

'Het lukt niet!' zei George. 'Straks laat ik hem vallen. Hij probeert te ontsnappen! Doe jij het dan!'

'Gatver!' zei Annie. Ze kwam voorzichtig dichterbij en stak haar hand uit. Poekie haalde uit en beet in haar vinger. Het afschuwelijke beest had niet door haar handschoen heen gebeten, dus Annie zat nog veilig in haar ruimtepak. Ze kwam weer dichterbij, maar deze keer bewoog ze met haar ene hand naar Poekie en terwijl hij naar die hand keek, raakte ze met haar andere hand zijn kop aan. Ze aaide hard...

Het volgende moment hoorden ze eindelijk Emmetts stem.

'Annie! George! Erik!' zei hij. 'Het lukte me niet om jullie te bereiken!'

'Open de deur, snel,' zei George. 'We komen terug.'

Emmett klonk heel zenuwachtig. 'Kosmos heeft niet genoeg geheugen,' zei hij. 'Hij heeft hulp nodig. Hij heeft een andere computer nodig die hem kan ondersteunen. Alleen dan kan hij jullie terughalen.'

'Een andere computer!' zei George. 'Waar halen we zo snel een andere computer vandaan? We zitten op een maan rond een planeet die eenenveertig lichtjaren van de aarde is verwijderd! Dacht je soms dat hier computerwinkels waren?'

Op dat moment kwamen George, Annie en Erik tegelijkertijd op hetzelfde idee.

'Poekie!'

## 17

Kuiper lag nog steeds onder Eriks laars, die hem stevig op het rotsachtige oppervlak duwde.

'Roeland,' zei Erik streng, 'je moet ons helpen. Je moet Poekie gebruiken om verbinding met Kosmos te maken zodat we de doorgang kunnen openen en allemaal terug naar huis kunnen gaan.'

'Jullie terug naar huis?' schreeuwde Kuiper. 'Nooit! Ik zal je niet helpen. Ik heb een veel grotere zuurstoftank dan jij. Dus als jij zuurstof tekortkomt, pak ik Poekie terug en ga ik ervandoor. En ik denk niet dat ik nog veel last van jullie zal hebben tegen de tijd dat ik terugkom.'

Alhoewel Annie wist dat ze niet veel zuurstof meer had, was ze zo dapper om te zeggen: 'Waarom heb je zo'n hekel aan iedereen? Waarom wil je alles vernietigen?'

'Waarom ik zo'n hekel aan iedereen heb, kleintje?' zei Kuiper. 'Omdat iedereen een hekel aan mij heeft, daarom. Sinds ik jaren geleden uit de Orde van Wetenschappers voor het Welzijn van de Mensheid ben gegooid, is alles, alles misgegaan. Al die tijd is het een en al ellende geweest. En nu, eindelijk, heb ik de macht.'

'Je hebt het mis,' zei George. Poekie was nu rustig en lag opgerold in zijn armen, alsof hij in slaap was gevallen. Zijn ogen waren niet langer rood van woede maar hadden een lichtgele kleur gekregen. 'Je bent alleen maar verdrietig en verbitterd. Zelfs als je ons hier achterlaat en we nooit naar huis gaan, zal jou dat geen geluk opleveren. Je zult er niet meer vrienden door krijgen en er niet slimmer door worden. Je zult alleen zijn, met je stomme hamster.' Poekie piepte beledigd. 'Sorry, Poekie...' George begon de kleine, harige computer bijna lief te vinden. 'Trouwens,' voegde hij eraan toe, 'je wist wat er zou gebeuren als je de regels van de Orde zou overtreden. Het staat in de eed.'

'Ha, ja, de eed,' zei Kuiper dromerig. 'Wat lijkt dat ontzettend lang geleden. Wat een onzin. Hoe gaat hij ook alweer...?'

Annie wilde iets zeggen, maar George gebaarde dat ze stil moest zijn. 'Nee, Annie,' zei hij. 'Dat kost je te veel zuurstof. De eed gaat als volgt.' Hij herhaalde de eed die hij de allereerste keer dat hij Erik had ontmoet, had moeten zeggen om toegelaten te worden tot de Orde.

'Ik beloof dat ik mijn wetenschappelijke kennis zal gebruiken voor het welzijn van de mensheid.

Ik beloof dat ik tijdens mijn zoektocht naar kennis niemand kwaad zal doen.

Ik zal moedig en voorzichtig zijn in mijn zoektocht naar de hogere kennis over de mysteriën die ons omringen.

Ik zal mijn wetenschappelijke kennis niet gebruiken voor mijn eigen gewin of haar in handen geven van mensen die de prachtige planeet waarop wij leven willen vernietigen.

Als ik deze eed breek, mogen de schoonheid en de wonderen van het universum dan voor altijd voor mij verborgen blijven.

Je hebt je niet aan de eed gehouden. Daarom is het sindsdien allemaal misgegaan.'

'Is dat zo?' zei Kuiper zachtjes. 'En waarom heb ik de eed verbroken? Heb je je dát ooit afgevraagd? Waarom zou ik dat doen als ik wist wat me te wachten stond?'

'Dat weet ik niet,' zei Annie.

'Waarom vraag je het niet aan je vader?' stelde Kuiper voor. Erik haalde zijn voet weg en draaide zich om. Kuiper ging op zijn knieën zitten.

'Pap?' vroeg Annie. 'Pap?'

'Het is heel lang geleden,' mompelde Erik. 'En we waren nog erg jong.'

'Wat gebeurde er?' vroeg Annie. Ze werd een beetje draaierig.

'Waarom vertel je het haar niet?' zei Kuiper, die overeind kwam. 'Of wil je dat ik het doe? Niemand verlaat deze planeet voordat dit verhaal bekend is.'

'Roeland en ik,' zei Erik langzaam, 'waren studenten. Onze begeleider was een van de grootste natuurkundigen uit de geschiedenis. Hij wilde weten hoe het universum was ontstaan. Samen met hem bouwden Roeland en ik de eerste Kosmos. Kosmos zag er toen nog heel anders uit. Hij was enorm groot en nam de hele kelder van een universiteitsgebouw in beslag.'

'Ga verder,' beval Kuiper, 'anders komen jullie nooit thuis.'

'Degenen die Kosmos gebruikten of met hem werkten waren de oprichters van de Orde van Wetenschappers. We beseften dat we een heel machtig gereedschap in handen hadden en dat we voorzichtig moesten zijn. Roeland legde de eed af en in het begin werkten we samen. Maar toen begon Roeland zich vreemd te gedragen...'

'Helemaal niet!' zei Kuiper boos. 'Dat is niet waar! Jij liet me niet met rust! Je volgde me overal en probeerde altijd te lezen wat ik had geschreven zodat je het kon overschrijven en kon doen alsof het van jou was. Je wilde mijn werk onder jouw naam publiceren en alle eer opstrijken.'

'Nee, Roeland,' zei Erik. 'Dat wilde ik niet. Ik wilde met je samenwerken, maar jij gaf me de kans niet. We wisten dat je gegevens achterhield voor anderen en we zagen dat je geheimzinnig deed. Onze begeleider vroeg me om je in de gaten te houden.'

'O,' zei Kuiper verrast. 'Dat wist ik niet.'

'Daarom ben ik je die avond gevolgd, de avond dat je alleen naar Kosmos bent gegaan. We hadden destijds een regel dat niemand in zijn eentje met Kosmos mocht werken. Maar Roeland deed dat wel. Hij ging 's avonds naar de universiteit en daar betrapte ik hem op een avond.'

'Wat was hij aan het doen?' vroeg George.

'Hij probeerde Kosmos te gebruiken om de oerknal te zien,' zei Erik. 'Dat was te gevaarlijk. We wisten niet wat de gevolgen zouden zijn als je zo'n grote explosie zou bekijken, zelfs via Kosmos, zelfs vanaf de andere kant van de opening. We hadden erover gesproken, maar onze begeleider had het verboden tot we meer over het vroege heelal wisten – en over Kosmos. Tot die tijd mochten we de computer niet gebruiken om de oerknal te onderzoeken.'

'Stommerds,' mekkerde Kuiper. 'Stelletje stommerds! We hadden de hoeksteen van alle kennis kunnen vinden! We hadden kunnen zien wat het universum heeft geschapen! Maar jullie waren te laf. Ik moest het wel stiekem doen. Het was de enige manier. Ik moest weten wat er helemaal aan het begin van alles is gebeurd.'

'Het risico was te groot,' zei Erik. 'Vergeet niet dat we hadden beloofd om tijdens onze zoektocht naar kennis niemand kwaad te doen. Maar ik vermoedde dat je dat wilde doen: naar de eerste paar seconden van de tijd zelf kijken. Toen ik je die avond volgde...'

18

Het was die avond koud en helder geweest in het oude universiteitsstadje waar Erik Bellis en Roeland Kuiper studeerden. Er zat vorst in de lucht en de wind blies door de warmste kleren heen. Ze woonden in hetzelfde studentenhuis met ramen die uitkeken op een binnenplaats waarvan de stenen zo oud waren dat ze versleten waren door de honderden voeten die er in de loop der eeuwen overheen waren gelopen. Het heldere maanlicht gaf het groene gras die avond een donkerblauwe gloed. Het was stil op de binnenplaats. Toen Erik bij het hek kwam, dat zo stevig was dat het wel leek of je voor een kasteel stond in plaats van voor een plek om te leren, sloeg de klok in de toren elf keer.

'Goedenavond, meneer Bellis,' zei de portier die een bolhoed op had, toen Erik naar binnen liep om zijn post op te halen. Terwijl Erik in de hal stond en door zijn post bladerde, merkte hij dat de portier hem in de gaten hield. Hij keek op en glimlachte. 'Het is lang geleden dat u hier hebt gegeten, meneer Bellis,' merkte de portier op. Medewerkers van dit eerbiedwaardige instituut hadden het recht om elke avond van het porselein in de eikenhouten eetzaal te eten, omringd door portretten van wetenschappers uit vervlogen tijden.

'Het is druk geweest,' zei Erik. Hij stopte zijn post in zijn oude, versleten aktetas en bond zijn sjaal nog iets steviger om zijn nek. Het was hierbinnen altijd ijskoud, soms nog kouder dan buiten op straat, dus Erik deed in de winter zelden zijn sjaal af. In zijn kamer was het zo guur dat hij met zijn tweedjasje over zijn pyjama aan sliep. En dan had hij ook nog sokken aan en een wollen muts op.

De portier wierp een blik op Erik. 'Ik heb meneer Kuiper ook weinig gezien de laatste tijd,' zei hij. Erik besefte dat portiers altijd alles wisten, alles zagen en alles hoorden. Erik was de laatste tijd weinig binnen geweest omdat hij steeds in de buurt probeerde te blijven van Kuiper, die duidelijk zijn best deed om Erik te ontwijken.

'Is meneer Kuiper er vanavond ook?' vroeg Erik, alsof het zomaar een vraag was.

'Ja,' zei de portier ernstig. 'En grappig genoeg wilde hij kennelijk graag dat u dat wist. Is er iets aan de hand, meneer Bellis?'

Erik nam zijn bril af en wreef in zijn ogen. Hij was bekaf. Het was erg vermoeiend om Kuiper overal te moeten volgen en zijn eigen werk ook nog te doen.

'Niets ernstigs,' zei hij stellig.

'We hebben het hier allemaal al meegemaakt,' zinspeelde de portier. 'Je begint als vrienden, maar dan ga je de strijd met elkaar aan. Het loopt nooit goed af.'

Erik zuchtte. 'Dank u,' zei hij, en hij liep over de binnenplaats. Langzaam ging hij de houten trappen op naar zijn kamer en opende zijn deur. Hij zette het elektrische kacheltje aan en liep naar het raam.

Aan de andere kant van de binnenplaats zag hij dat het licht in Kuipers kamer nog brandde. Erik vroeg zich af of hij vannacht zou kunnen doorslapen of dat hij om het uur wakker zou worden omdat hij bang was dat Kuiper weg zou gaan zonder hem. Hij schoof het gordijn dicht en ging in de leunstoel zitten. Op dat moment ging de lamp kapot en was het pikkedonker. Even bleef hij zitten. Hij vroeg zich af of hij zichzelf ertoe kon zetten om in de ijskoude badkamer zijn tanden te poetsen. Hij stond op en uit gewoonte tuurde hij even door de spleet in de gordijnen. Op dat moment zag hij een donkere figuur de binnenplaats oversteken, zijn lange schaduw in het heldere maanlicht.

Verward trok Erik een extra tweedjasje aan, verliet zijn kamer en volgde Roeland Kuiper, die midden in de nacht over het universiteitsterrein sloop.

Erik hoefde hem niet op de voet te volgen om te weten waar hij heen ging, maar hij wilde wel voorkomen dat Kuiper te veel schade kon aanrichten. De handremmen van Eriks fiets waren bevroren en hij moest voorzichtig

fietsen want er lag ijs op de straten. Tegen de tijd dat hij bij het universiteitsgebouw aankwam waar Kosmos werd bewaard, waren zijn blote vingers blauw en gevoelloos van de kou en kon hij ze nauwelijks bewegen. Terwijl hij in zijn ene hand blies, haalde hij met de andere zijn sleutels tevoorschijn en opende de deur.

'Wat verwachtte je?' vroeg George, die het verhaal onderbrak omdat hij wilde weten wat Kuiper had gedaan.

'Hij vond me terwijl ik op het punt stond de grootste ontdekking in de geschiedenis van de wetenschap te doen!' zei Kuiper. 'En hij verpestte het! En gaf mij achteraf de schuld.'

Eriks vermoeden bleek te kloppen. Toen hij de trappen naar de kelder was afgerend, had hij Kuiper aangetroffen op het moment dat hij Kosmos gebruikte om de oerknal te bekijken. De doorgang was er al, maar de deur zelf was nog gesloten.

'Ik moest hem tegenhouden,' zei Erik. 'De omstandigheden waren aan het begin van het heelal zo extreem, het was zelfs te heet voor het ontstaan van waterstof. Het kon ontzettend gevaarlijk zijn. Ik wist niet zeker wat er achter de deur was, maar ik moest voorkomen dat hij hem opende.'

'Maar wilde jij het dan niet zien?' vroeg George nieuwsgierig. 'Had je niet heel even kunnen kijken? Al was het van een heel grote afstand.'

'Je kunt de oerknal niet van een afstand bekijken,' antwoordde Erik. 'Want hij is overal. Wat hij had kunnen doen is het met een roodverschuiving bekijken.'

'Een roodverschuiving!' riep George uit. 'Net als op jouw feestje?'

'Precies! De straling die kort na de oerknal ontstond, verplaatst zich naar de aarde en wordt veel roder en minder krachtig,' legde Erik uit.

'Maar dat was nou net wat ik wilde doen!' riep Kuiper uit. 'Als je de moeite had genomen om het me te vragen in plaats van binnen te stormen en me op de grond te gooien, dan had ik het je verteld.'

'Ah,' zei Erik langzaam. Erik had Kuiper inderdaad niet de kans gegeven om uit te leggen waar hij mee bezig was. Hij was de kelder binnengerend waar Kosmos stond en was boven op Kuiper gesprongen, die naast de doorgang stond. In de vechtpartij die volgde, had Erik in het wilde weg met zijn vrije hand op Kosmos' toetsenbord gedrukt in de hoop dat hij de doorgang kon afsluiten.

Kuiper had zich echter los weten te worstelen en rende naar de deur die hij open wist te krijgen. Op dat moment kwam Kuiper erachter dat Erik in zijn blinde actie met Kosmos' toetsenbord per ongeluk de opdracht had gegeven om naar een heel andere plek te gaan.

Toen Kuiper de deur opendeed, keek hij recht in de zon. Hij hield zijn arm voor zijn gezicht, maar het was al te laat; de hitte brandde in zijn gezicht. Kermend en kreunend deinsde hij naar achteren terwijl Erik naar Kosmos rende en de deur sloot.

Erik probeerde Kuiper te helpen, maar zijn collega strompelde in zijn eentje het gebouw uit en verdween in het donker. Later bleek dat Kuiper de universiteit had verlaten en Erik had volgens hem geen andere keuze gehad dan hun begeleider te vragen of hij Kuiper uit de Orde wilde verbannen.

'Je hebt mijn leven vergald,' zei Kuiper bitter. 'Jij, Erik, hebt alles gestolen en niets voor mij overgelaten. Ik schaamde me diep, omdat je me had betrapt terwijl ik in het geheim met Kosmos werkte. En ik had zoveel pijn die nacht dat ik niet precies wist wat ik deed. Ik liep door het donker naar de weg en daar begon ik te rennen. Ik rende tot ik niet verder kon. Ik moet flauwgevallen zijn, want toen ik wakker werd, lag ik in een ziekenhuisbed. Ik was halfblind door het zonlicht en ik had vreselijke brandwonden op mijn handen. In het begin wist ik niet eens wie ik was. Na een tijdje kwamen de herinneringen terug. Ik stond erop dat ze me lieten gaan. Ik moest naar de universiteit om mijn verontschuldigingen aan te bieden voor wat ik had gedaan. Toen ik daar echter kwam, ontdekte ik dat je mij had laten uitsluiten zonder me de kans te geven het uit te leggen. Jij had ervoor gezorgd dat ik nooit meer bij een universiteit kon werken.'

'Ik probeerde je te beschermen,' zei Erik.

'Tegen wat?' zei Kuiper kwaad.

'Tegen jezelf!'

'Nou, dat is dan niet gelukt, of wel soms?' zei Annie wazig. 'Ik bedoel, je moet toegeven, pap, dat ook al had hij Kosmos niet mogen gebruiken – net als wij, trouwens, dokter Kuiper, voor het geval je denkt dat je heel bijzonder bent – hij raakte gewond, je hebt hem geen tweede kans gegeven én je hebt ervoor gezorgd dat er een einde kwam aan zijn carrière als wetenschapper.'

'Dat verdiende hij!' zei Erik. 'Hij kende de regels.'

'Min of meer,' mompelde Annie. 'Ik bedoel, de oerknal heeft hij niet gezien, of wel soms? Uiteindelijk probeerde hij ernaar te kijken op de manier die jij suggereerde, maar jij vond het niet nodig om dat uit te zoeken! En jij was degene die het echt gevaarlijk maakte door de locatie van de doorgang te veranderen. Dus het is ook een beetje jouw schuld.'

'Mijn schuld?' zei Erik verbaasd.

'Ja,' zei Annie. 'Volgens mij was het gewoon een groot misverstand en als jij toen je excuses had aangeboden, zaten we nu niet in de problemen. Misschien moet je het alsnog doen.'

'Mijn excuses aanbieden?' zei Erik verwonderd. 'Wil je dat ík sorry zeg tegen hém?'

'Ja,' zei Annie zo overtuigend als ze kon. 'Dat wil ik. En dat wil Kuiper ook, toch? Dat zou alles makkelijker maken en dan kunnen we heel misschien teruggaan naar de aarde.'

Erik mompelde iets onduidelijks.

'Dat was niet te verstaan,' zei George tegen hem.

'Oké, oké,' zei Erik kwaad. 'Kuiper, ik bedoel, Roeland, het... het...'

'Zeg het,' waarschuwde Annie. 'En op een beetje aardige toon.'

'Het s-s-s-s,' zei Erik met zijn tanden op elkaar. 'Het s-s-s-s...' Hij kreeg de woorden niet over zijn lippen.

'Wat bedoel je precies?' moedigde Kuiper hem aan.

'Het sp-sp-sp...' zei Erik.

'Erik, schiet op!' riep George. 'Annie moet hier zo snel mogelijk weg.'

'Roeland,' zei Erik vastberaden. 'Roeland, het... spijt me. Het spijt me wat er met jou is gebeurd en voor mijn aandeel daarin. Het spijt me dat ik je uit de Orde heb laten zetten zonder dat ik je de kans heb gegeven om het uit te leggen. Het spijt me dat ik zo overhaast heb gereageerd.'

'Aha,' zei Kuiper. Hij klonk nogal verward. 'Het spijt je dus.' Kuiper wist kennelijk niet goed wat hij nu moest doen.

'Ja, het spijt me!' zei Erik. Hij praatte heel vlug. 'Ooit was je mijn beste vriend, en mijn beste collega. Samen hadden we als wetenschappers geniaal kunnen zijn.

We hadden briljant werk kunnen doen, als je niet alles voor jezelf had willen houden. En weet je, Roeland, jij was niet de enige die die avond pijn had. Ik heb je gemist. Uiteindelijk miste ik degene die je daarvoor was geweest, voordat je je tegen me keerde. En ik moest met het schuldgevoel verder leven. Je bent niet de enige die eronder geleden heeft wat er die avond is gebeurd. Dus stel je nou niet langer aan en help ons om terug te gaan naar de aarde, nu we nog adem kunnen halen.'

'Ik heb je als vriend al eens verloren,' zei Kuiper somber. 'En ik heb mijn leven opgegeven voor de wetenschap. De enige manier om kracht te vinden en door te kunnen gaan was door je te haten en wraak te willen. Maar wat moet ik nu als jij mijn vijand niet meer bent? Dan heb ik niets meer.'

'Dat is echt onzin,' zei George. 'Erik heeft er spijt van en hij heeft zijn excuses aangeboden. Vind je niet dat jij nu iets moet terugzeggen?'

'Goed,' zei Kuiper zacht. 'In dat geval, Erik Bellis, accepteer ik je excuses.' Hij maakte een lichte buiging.

'Nu jij,' fluisterde Annie.

'Wát?' riep Kuiper uit.

'Nu moet jij je excuses aanbieden. Zo werkt dat. Papa heeft sorry gezegd en nu moet jij sorry zeggen.'

'Voor wat?' zei Kuiper. Hij klonk alsof hij het echt niet wist.

'O, ik noem maar wat...' zei George. 'Voor het stelen van Kosmos, voor het feit dat je Erik in een zwart gat hebt gelokt, voor het feit dat wij het hele heelal zijn doorgereisd omdat je zei dat de aarde zou vergaan als we dat niet zouden doen. Jij mag het zeggen. Kies maar iets uit en bied je verontschuldigen ervoor aan.'

Erik gromde. 'Schiet op, Roeland.'

'Oké, oké,' zei Kuiper snel. 'Het spijt mij ook. Ik zou willen dat ik een beter mens was geweest. Ik zou willen dat ik niet zoveel tijd had verdaan. Ik zou willen dat ik me weer met de wetenschap kon bezighouden, op een goede manier deze keer...' Dit laatste klonk bijna als een verzoek.

'Luister, Roeland,' zei Erik gehaast. 'Je wilt je weer met de wetenschap bezighouden, oké. Je wilt dat ik geloof dat je ondanks alles toch een goed mens bent, ook goed. Maar laten we nu opschieten en mijn dochter en George terug naar aarde brengen voordat ze geen lucht meer krijgen. Want ik verzeker je, Roeland, als dat gebeurt, zal ik je dat nooit vergeven en dan weet ik je te vinden, waar je ook bent.'

'Meen je het?' zei Kuiper. 'Kan ik echt weer als weten-schapper aan de slag?'

'Breng ons eerst terug naar de aarde. Daarna praten we verder,' zei Erik.

'George,' zei Kuiper, 'je moet Poekie nog een keer over zijn kop aaien. Je hebt hem laten slapen en nu moet je hem weer wakker maken.' George raakte voorzich-tig Poekies kop aan en de hamster begon te bewegen. 'Poekie,' ging Kuiper verder, 'ik wil dat je verbinding maakt met een computer op aarde, dezelfde computer die je eerst moest laten vastlopen. Je moet met hem sa-menwerken om een doorgang te maken, zodat we alle-maal terug naar de aarde kunnen gaan.'

Toen George Emmett riep, was de hamster klaarwak-ker.

'Emmett, oma,' zei George. 'Zijn jullie er klaar voor? We hebben een andere computer gevonden. We moeten Kosmos met deze supercomputer laten samenwerken, zodat de doorgang sterk genoeg is om ons allemaal terug te brengen.'

'Hebben jullie een andere computer gevonden? Waar?' zei Emmett verrast. 'En wat gebeurt daar in hemelsnaam allemaal? Komen jullie nu terug naar de aarde?'

'De aarde, inderdaad, dat is de laatste aanwijzing van deze kosmische jacht op de schat. De aanwijzing brengt ons terug naar waar we begonnen zijn. Bereid je voor: we komen naar huis. Over en uit.'

Poekie ging rechtop zitten en uit zijn ogen kwamen

twee felle lichtstralen die de omtrekken van de deur te-
kenden, precies zoals Kosmos dat deed. Terwijl hij de
doorgang maakte die hen door het heelal terug naar de
aarde zou brengen, stelde George de laatste vraag.

'Kuiper,' zei hij terwijl hij keek hoe Poekie de doorgang
afmaakte. 'Aan het eind van de boodschappen stond
steeds dat je de aarde zou vernietigen als wij de aanwijzingen niet opvolgden. Meende je dat? Kun je echt een
hele planeet vernietigen?'

'Doe niet zo gek!' zei Erik, die Annie zo dicht mogelijk
bij de deur hield om haar erdoorheen te kunnen duwen
zodra hij openging. 'Roeland kan de aarde helemaal niet
vernietigen. Dat zou een gigantische explosie met heel
veel kracht opleveren. Het waren maar loze dreigemen-
ten, toch, Roeland?'

Roeland frummelde aan zijn ruimtehandschoenen.

'Toch, Roeland?' vroeg Erik nog een keer.

'Het vreemde is,' zei Kuiper, 'dat het echt zou kunnen gebeuren. Alleen zou het niet mijn schuld zijn. Het is iets wat ik tijdens mijn reizen heb opgevangen...'

Op dat moment gloeiden Poekies ogen nog feller en het lukte hem om de doorgang te openen. Terug naar de steriele ruimte, terug naar het Global Space Agency, terug naar Amerika, terug naar de planeet aarde.

Poekies ogen waren echter niet geel meer, maar gevlekt, met blauwe en groene patronen en witte vlekken.

In zijn ogen was de weerspiegeling te zien van de mooiste planeet van het heelal: een planeet waar het niet te warm en niet te koud is, waar stromend water is en waar de zwaartekracht precies goed is voor mensen, net als de atmosfeer, waar bergen zijn en woestijnen en oceanen en eilanden en bossen en bomen en vogels en planten en dieren en insecten en mensen, heel veel mensen.

Waar leven is.

Intelligent leven, waarschijnlijk.

## Epiloog

'Leef lang en vaar wel!' zei Emmett, en terwijl hij in zijn vaders auto stapte, gaf hij de Vulcanogroet. De vakantie was voorbij en zijn vader – een exacte kopie van Emmett, alleen wat groter – grijnsde en haalde een hand van het stuur om ook de Vulcanogroet te geven.

Annie en haar ouders, George en zijn oma stonden met z'n allen buiten om hen uit te zwaaien.

'Tot volgende zomer!' riep George en hij groette terug.

'Emmett, je bent een kei!' zei Annie zwaaiend. 'Je mag ons niet vergeten, hoor!'

'Je bent veilig opgeslagen op mijn harde schijf,' zei Emmett terwijl hij zijn gordel omdeed. 'Voor altijd. Het was fantastisch. Ik zal jullie missen.' Hij snifte. 'Pap, ik heb vrienden gemaakt,' zei hij verdrietig. 'En nu raak ik ze weer kwijt!'

'Onmogelijk!' riep Annie. 'Ik zal je spammen met mailtjes, en George ook!'

'Misschien kunnen je vrienden een keer bij ons komen logeren, Emmett,' zei zijn vader. 'Je weet hoe leuk je moeder het zou vinden als je een paar vrienden op bezoek krijgt.'

'Of ik kan naar Engeland gaan!' zei Emmett opgewekt. 'Annie zou ook kunnen gaan en dan zoeken we George op en misschien kunnen we een zomercursus volgen aan een Engelse universiteit. Ze doen daar echt gave dingen.'

Erik liep naar het open raampje. 'Goed gedaan, Emmett,' zei hij. 'Deze ronde was voor jou.'

'Welke ronde?' vroeg zijn vader. 'Wat heb je gedaan?'

'We hebben een soort spel gespeeld,' zei Emmett.

'Heb je gewonnen?' vroeg zijn vader.

'Niemand heeft eigenlijk gewonnen of verloren,' probeerde Emmett uit te leggen. 'We hebben gewoon een hoger niveau bereikt.'

Zijn vader startte de motor. 'Bedankt, Erik,' zei hij. 'Ik weet niet wat je met mijn zoon hebt gedaan, maar het lijkt erop dat er hier een klein wonder heeft plaatsgevonden.'

'Het is geen wonder, pap,' zei Emmett afkeurend. 'Het is een kwestie van wetenschap! En van vriendschap. Die twee dingen samen.'

Mabel zwaaide met haar stok en riep: 'Tot in *the final frontier*, Emmett.'

De auto verdween uit het zicht en terwijl de anderen zich omdraaiden om weer naar binnen te gaan, ging Eriks pieper af. Het was een bericht van het Marslaboratorium. Erik las de boodschap en er verscheen een brede grijns op zijn gezicht.

'Het gaat om Homer,' zei hij. 'Hij werkt weer normaal! Hij heeft beeldmateriaal van water op Mars gestuurd en ze denken dat het niet lang zal duren voordat hij ons ook chemisch bewijsmateriaal kan sturen!'

'Wat betekent dat?' vroeg George.

'Dat betekent dat we nog een feestje gaan vieren.'

'Mag Kuiper ook komen?' vroeg George. 'Hij is vast in geen jaren naar een feestje geweest.'

Nadat ze door Kosmos en Kuipers speciale nanocomputer teruggebracht waren van 55 Cancri naar aarde, hadden Erik en Kuiper heel wat uren op de veranda doorgebracht. George, Emmett en Annie hadden hen vanuit de boom proberen af te luisteren, maar ze hadden weinig opgevangen van het zachte gemompel tussen de twee oud-collega's. Wat ze wel hadden begrepen, was dat het gesprek goed was afgelopen. Kuiper had gelachen toen hij hen gedag had gezegd. Erik had een plek voor hem gevonden bij een instituut waar Kuiper opnieuw kon gaan studeren. Het was een rustige plek waar Kuiper kon inhalen wat hij had gemist, zodat hij over een tijdje weer echt onderzoek kon gaan doen.

De voorwaarde die Erik had gesteld, was dat Poekie bij hem zou blijven. Erik zou de systemen van Kosmos en Poekie helemaal reviseren om te kijken of hij de twee computers met elkaar kon verbinden. De twee computers lagen nu helemaal uit elkaar, dus voorlopig was het niet mogelijk om een nieuwe kosmische reis te ondernemen.

Erik was echter niet de enige die een levensteken vanuit een andere plek had gekregen. De telefoon ging en Susan, die had opgenomen, gaf de hoorn aan George. Het waren zijn vader en moeder die vanaf de Stille Oceaan belden.

De satelliet had George' vader gevonden en er was een reddingsploeg naartoe gestuurd om hem op te pikken. Hij was veilig naar het moederschip teruggebracht en herenigd met George' moeder.

'George!' zei zijn moeder. Haar stem klonk ver weg en de lijn kraakte. 'We zijn allebei veilig en we zien jou en oma snel. We reizen terug via Florida en...' Ze stopte even, alsof ze niet wist of ze door moest praten, maar toen ging ze snel verder en zei: 'We hebben geweldig nieuws, ook voor jou. We wilden het je pas vertellen als we je zouden zien, maar ik kan niet langer wachten. Je krijgt een broertje of zusje! Is dat niet fantastisch? Dat betekent dat je niet meer alleen zult zijn. Ben je blij?'

George was eerder overrompeld. Al die tijd was hij in het heelal op zoek geweest naar een teken van leven en nu bleek dat er een heel nieuwe levensvorm bij hem thuis zou komen.

'We zien je over twee dagen,' zei zijn moeder.

'Wauw!' zei George tegen de anderen toen hij had opgehangen. 'Mijn moeder krijgt een baby.'

'Ach, wat schattig,' zei Annie lachend.

'Hm,' zei George, en hij vroeg zich af wat Annie ervan zou vinden als het om haar vader en moeder zou gaan.

'Nee, het is echt cool!' zei Annie, die de uitdrukking op zijn gezicht had gezien. 'Dan hebben we nóg iemand die met ons mee op avontuur kan gaan!'

'Geen sprake van,' zei haar vader stellig. 'Geen baby's in de ruimte, Annie. Dat is een regel. Helemaal geen kinderen, trouwens.'

'Maar, pap,' klaagde Annie, 'wat moeten we dan doen? Dan gaan we ons verschrikkelijk vervelen!'

'Je gaat weer naar school, Annie Bellis,' zei haar vader. 'Dus je hebt straks helemaal geen tijd om je te vervelen.'

'Nou...' Annie trok een pruilmondje. 'Kan ik niet bij George gaan wonen?'

'Grappig dat je erover begint,' zei Erik. 'Ik heb erover nagedacht om je terug naar Engeland te brengen. Nu Homer het weer goed doet en hij water heeft gevonden op Mars, wordt het misschien weer eens tijd om deel te nemen aan een ander groot experiment. Een experiment dat in Europa wordt uitgevoerd. In Zwitserland. We kunnen weer in het huis in Engeland gaan wonen en van daaruit kan ik mijn werk makkelijk doen.'

'Ja!' juichten Annie en George tegelijkertijd. Dat betekende dat ze weer samen zouden zijn.

Ze liepen met z'n allen de veranda op. Nu alle avonturen goed waren afgelopen en Emmett weg was, viel er niet veel meer te doen.

George pakte zijn *Reisgids voor de ruimte* die daar op tafel had gelegen. 'Erik,' zei hij peinzend, 'ik wil je al de hele tijd iets vragen, maar tot nu toe was er geen tijd voor.'

'Ga je gang,' zei Erik.

'Toen we' – hij praatte iets zachter – 'daar waren, zei Kuiper iets. Hij zei dat jij het heelal begrijpt. Is dat waar?'

'Eh, ja, dat is waar,' zei hij een beetje verlegen.

'Maar hoe doe je dat dan?' zei George. 'Hoe kan dat?'

Erik glimlachte. 'Ga maar naar de laatste pagina's van het boek, George. Daar vind je het antwoord.'

## Hoe kunnen wij het heelal leren kennen?

Het heelal wordt geregeerd door wetenschappelijke
wetten. Deze wetten bepalen hoe het heelal is begonnen
en hoe het zich door de tijd heen ontwikkelt. Het doel
van de wetenschap is om deze wetten te ontdekken en uit
te vinden wat ze betekenen. Het is de spannendste jacht
op een schat ooit. De schat bestaat immers uit het totale
begrip van het heelal en alles wat zich erin bevindt. We
hebben nog niet alle wetten gevonden dus de zoektocht
gaat door. We hebben echter een aardig beeld hoe ze er
gewoonlijk uitzien behalve in de meest extreme gevallen.

De belangrijkste wetten zijn de wetten die de krachten
beschrijven. Tot nu toe hebben we vier verschillende
krachten ontdekt.

### 1. De elektromagnetische kracht
Deze houdt de atomen bij elkaar en is belangrijk voor
licht, radiogolven en elektrische apparaten zoals computers en televisies.

### 2. De zwakke kernkracht
Deze is verantwoordelijk voor radioactiviteit en speelt
een grote rol in de energievoorziening van de zon en het
ontstaan van elementen in de sterren en het jonge heelal.

### 3. De sterke kernkracht
Deze kracht houdt de atoomkern bij elkaar en zorgt voor
de energie die nodig is voor kernwapens en de zon.

## 4. De zwaartekracht

Dit is de zwakste van de vier krachten, maar hij zorgt er
wel voor dat wij op de aarde blijven, dat de aarde en de
planeten in een baan rond de zon blijven draaien, dat de
zon in een baan om het midden van het sterrenstelsel
draait, en zo verder.

We hebben wetten die deze vier krachten beschrijven,
maar wetenschappers denken dat er één sleutel tot het
heelal is in plaats van vier. We denken dat de opdeling in
vier krachten kunstmatig is en dat we alle wetten die deze
krachten beschrijven, kunnen verenigen in één theorie.
Tot nu toe hebben we de elektromagnetische en zwakke
krachten kunnen samenvoegen. Het zou mogelijk moeten
zijn om deze twee te verenigen met de sterke kracht, maar
het is veel moeilijker om ze alle drie met de zwaartekracht te verenigen omdat de zwaartekracht ruimte en tijd
vervormt.
Niettemin is er een goede kandidaat voor die ene theorie
van alle krachten en met die sleutel zouden we het heelal
kunnen begrijpen. Hij heet de M-theorie. We weten
nog niet precies wat de M-theorie is en daarom zeggen
sommige mensen dat de M voor 'mysterie' staat. Als we
dat echter weten, dan zullen we het heelal begrijpen, van
de oerknal tot de verre toekomst.

Erik

## Dankwoord

We willen graag de volgende mensen bedanken:

Jane en Jonathan, zonder jullie vriendelijkheid en hulp zou dit boek niet zijn ontstaan. William, voor zijn liefde en de grapjes waarmee hij zijn moeder en grootvader tijdens het schrijven van een tweede boek aan het lachen maakte. Geoff Marcy, voor zijn inspirerende lezing aan het Institute of Astronomy in Cambridge.

De verschillende wetenschappers die hun werk toegankelijk maakten voor een jong publiek door de essays te schrijven voor de Reisgids voor de Ruimte: Bernard Carr, Seth Shostak, Brandon Carter, Martin Rees en Geoff Marcy. Hun kennis en enthousiasme voor dit project maakte het een plezier om eraan te werken.

Stuart Rankin van de University of Cambridge die een prachtig stuk schreef over hoe licht en geluid zich verplaatsen.

Onze vrienden bij NASA en alle mensen van de verschillende afdelingen die de tijd en moeite hebben genomen om over het werk van NASA te praten. We willen met name Michael Griffin, Michael O'Brien, Michael Curie en Bob Jacobs bedanken.

Kimberly Lievense en Marc Rayman van het Jet Propulsion Laborarory in Californië, voor hun informatie

*over de verbijsterende robotvluchten.*
*Kip Thorne en Leonard Mlodinow van Caltech, voor*
*hun adviezen en vriendschap.*

*Richard Garriot en Peter Diamandis van Space Adven-*
*tures voor hun energie en enthousiasme, en Richard om*
*ons – en het eerste George-boek – bij zijn echte ruimteavon-*
*tuur te betrekken!* Dankzij hem heeft De geheime sleutel
naar het heelal *een bezoek gebracht aan het International*
*Space Station.*

*George Becker en Daniel Stark van het Institute of*
*Astronomy in Cambridge voor hun waardevolle opmer-*
*kingen.*

*Sam Blackburn en Tom Kendall voor het geduld waar-*
*mee ze een eindeloze reeks vragen beantwoordden over*
*natuurkunde, wetenschap en computertechniek.*

*Tif Loehnis en alle anderen van Janklow and Nesbit,*
*voor hun vriendelijkheid en hun vele werk voor de George-*
*serie. Eric Simonoff in New York voor het feit dat hij*
*George weer naar de Verenigde Staten heeft gebracht.*

*Bij Random House, onze geweldige redacteur Sue Cook.*
*Dankzij haar is* De schat in het heelal *nu klaar en is het*
*een prachtig boek geworden. Lauren Buckland voor haar*
*werk aan de tekst en de illustraties; Sophie Nelson voor*
*het persklaarmaken van de kopij. We willen ook Maeve*
*Banham en haar team van de rechtenafdeling bedanken,*
*omdat zij ervoor hebben gezorgd dat de George-boeken een*
*internationaal publiek hebben gevonden. En we willen in*
*het bijzonder Annie Eaton bedanken voor haar toewijding*
*en haar betrokkenheid bij de George-serie.*

*Keso Kendall voor haar hulp bij het taalgebruik van een tienercomputer.*

*Het hele team – thuis en aan de universiteit – voor hun geduld en sympathie tijdens het schrijven van een nieuw George-boek.*

*Tot slot willen we onze jonge lezers bedanken: Melissa Ball, Poppy en Oscar Wallington, Anthony Redford en Joanna Fox voor hun commentaar en hun nuttige opmerkingen bij* De schat in het heelal. *We willen bovendien alle kinderen bedanken die hebben geschreven, gemaild en die naar lezingen zijn gekomen en die dapper genoeg waren om aan het eind op te staan en iets te vragen. We hopen dat dit boek antwoord geeft op een paar van jullie vragen en we hopen dat je nooit zult ophouden met vragen:* 'Waarom?'

*Lucy en Stephen Hawking*